LES INTOUCHABLES

512, boul. Saint-Joseph Est, app. 1
Montréal (Québec)
H2J 1J9
Téléphone : 514 526-0770
Télécopieur : 514 529-7780
www.lesintouchables.com

DISTRIBUTION : PROLOGUE
1650, boul. Lionel-Bertrand
Boisbriand (Québec)
J7H 1N7
Téléphone : 450 434-0306
Télécopieur : 450 434-2627

Impression : Imprimerie Lebonfon inc.
Conception du logo : Marie Leviel
Mise en pages : Mathieu Giguère
Illustration de la couverture : Isabelle Angell, www.isabelleangell.com
Direction éditoriale : Érika Fixot, Marie-Eve Jeannotte
Révision : Patricia Juste Amédée, Natacha Auclair
Correction : Élaine Parisien

Les Éditions des Intouchables bénéficient du soutien financier du
gouvernement du Québec — Programme de crédit d'impôt pour
l'édition de livres — Gestion SODEC et sont inscrites au Programme de
subvention globale du Conseil des Arts du Canada.

Nous reconnaissons l'aide financière du gouvernement du Canada
par l'entremise du Fonds du livre du Canada (FLC) pour nos activités
d'édition.

Société de développement des entreprises culturelles
Québec

Conseil des Arts du Canada
Canada Council for the Arts

Dépôt légal : 2012
Bibliothèque et Archives nationales du Québec
Bibliothèque nationale du Canada

ISBN : 978-2-89549-573-4 (2,95 $)
        978-2-89549-560-4 (prix régulier)

Les bravoures de Thomas Hardy
Tome 1, Le bal des anciens

Dans la même série

Les bravoures de Thomas Hardy,
    La grande kermesse, roman, 2012.
Les bravoures de Thomas Hardy,
    Répit pour les quidams, roman, 2012.

PHILIPPE ALEXANDRE

D'après une idée de Michel Brûlé

Les bravoures de
THOMAS HARDY

1. Le bal des anciens

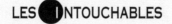

LES INTOUCHABLES

Le premier livre de cette série est dédié
à ma grand-mère, qui l'emportera avec elle.
Merci de m'avoir gâté, je n'en méritais pas tant.

UN

Il est midi. Environ le tiers des mille cinq cent quarante-trois élèves du Collège Archambault ont envahi l'immense cafétéria. Leurs voix, leurs cris et leurs rires forment une cacophonie assourdissante qui ne semble pourtant pas empêcher les paupières de Thomas Hardy, douze ans, de devenir de plus en plus lourdes. Le garçon est sur le point de quitter la réalité. Cette fatigue soudaine a trois causes : tout d'abord, une vingtième écoute du film *Avatar,* en cachette, qui s'est terminée à une heure du matin ; ensuite, un repas frugal composé d'un morceau de fromage et d'une pomme minuscule (l'argent du dîner est mis de côté chaque jour pour l'achat de jeux vidéo) ; dernière raison et non la moindre, le discours ennuyeux de son ami William, trop absorbé par son sujet pour réaliser qu'il parle tout seul.

— ... mais là, je sais plus trop, parce que les attaques de vol sont vraiment efficaces contre les pokémons de type insecte. Ceux de combat aussi... euh... je pense, mais pas autant contre

ceux de type roche. C'est mes préférés, ceux-là.
Euh… non. Ben oui, dans le fond. En deuxième,
c'est ceux de type électrique, ça me fait vraiment
triper, moi, l'électricité. Imagine-toi un voleur
qui entre chez vous et qui essaie de t'agripper par
le collet et BZZZZZT !

Un sursaut ramène brièvement Thomas à la
réalité, puis ses yeux se referment doucement.
Sans perdre le fil de ses pensées, William rajuste
ses lunettes et poursuit, toujours à un rythme
fou :

— Le problème est réglé ! À bien y penser, je
remplacerais mon vieux chien par un pokémon
n'importe quand si je pouvais. Non, c'est chien
de dire ça. Haha ! Jeu de mots ! Mais sérieusement, si mon chien était un pokémon, il serait
probablement de type feu parce qu'il pète tout le
temps. Eille, ça serait fou ça, du feu qui sort des
fesses de mon chien ! Son évolution, ça serait
Pétosaurus ! T'imagines ? Mais j'aimerais quand
même mieux qu'il fasse de l'électricité, parce
que…

Thomas jette un dernier petit coup d'œil à
son chétif compagnon, puis à Karl, le grassouillet
de ce trio incongru d'amis, qui dévore avidement
son gigantesque repas.

— Comme je l'ai dit, j'aime vraiment ça,
l'électricité. Je sais pas pourquoi, mais je pense

que c'est depuis que mon père m'a fait regarder la trilogie originale de *Star Wars* : à la fin quand l'Empereur essaie de tuer Luke avec son électricité… Ça doit être cool de lancer de l'électricité avec ses doigts. Pas mal cool. Eille, je me demande ce qui arriverait s'il se battait contre Pikach…

Pouf ! Et c'est ainsi que Thomas nous quitte. Son mauvais rêve, qui ne dure en réalité que deux minutes, lui paraît durer une éternité et se déroule ainsi :

Les trois copains sont toujours assis à la cafétéria, mais quelque chose a changé. Les lunettes de William sont beaucoup plus épaisses qu'avant, ce qui fait paraître ses yeux encore plus petits. Il y a sous son nez une dizaine de poils disparates que Thomas n'a jamais remarqués auparavant. Est-ce bien un costume de pokémon qu'il porte en ce moment ? Il semble être en train de parler, mais aucun son ne sort de sa bouche. À bien y penser, un silence parfait règne dans la salle et on dirait que tout bouge au ralenti. Bizarre, vraiment bizarre…

Si William est toujours aussi maigre, Karl doit quant à lui peser trois cents livres à présent ! Il mange, et il mange, et il mange encore, ne prenant même pas la peine d'enlever les emballages tandis qu'il enfonce dans sa bouche toute la nourriture qui lui tombe sous la main. Ses joues ressemblent à celles d'un écureuil obèse qui y aurait emmagasiné trente kilos de noix. *Les deux compères ont en commun le même regard vide qui leur donne des airs de zombies.*

Quand Thomas regarde autour de lui, il s'aperçoit que tous les jeunes de son niveau ont vieilli de quelques années. Grands, costauds et juste assez poilus, les jeunes hommes s'affairent à séduire les demoiselles qui, avec leurs chevelures resplendissantes et leurs nouvelles courbes, semblent tout droit sorties d'un feuilleton américain. Ils ont tous l'air de tellement s'amuser! Thomas regarde de nouveau ses amis, devenus par contraste encore plus pathétiques, puis se lève brusquement de sa chaise pour aller rejoindre les autres.

Il court de table en table, suppliant les élèves de l'accepter parmi eux pour lui éviter une seconde de plus avec Pokékid et l'Ogre d'Ahuntsic, mais voilà qu'ils l'ignorent, ils ne lui accordent même pas un regard. Le garçon réalise soudain qu'il est presque nu, ne portant qu'une couche et un petit hochet.

Thomas se réveille alors, le front en sueur.

— Ça va, mec? demande William en plissant les yeux.

Karl arrête de mâchouiller et observe la scène d'un regard curieux. Thomas regarde ce qui l'entoure et, puisque tout semble normal, il pousse un grand soupir de soulagement.

— Thomas! Ça va? insiste William.

— Euh… oui. Ça fait longtemps que je dors?

— Tu dormais?

Thomas hésite un moment, puis se lève.

— Je vais aller prendre l'air, dit-il sans répondre à la question. On discutera plus tard.

Il se dirige vers la sortie d'un pas rapide. Karl se contente de hausser les épaules, puis retourne à son joyeux festin. William, pour sa part, ne quitte pas Thomas des yeux jusqu'à ce que celui-ci sorte de son champ de vision. Décidément, quelque chose ne tourne pas rond…

Dehors, le soleil brille de mille feux, mais une brise fraîche rappelle l'arrivée imminente de l'automne. Cela fait un peu plus de deux semaines que l'école a commencé, et si déjà l'énorme structure du collège lui est devenue familière, il n'en reste pas moins que Thomas s'adapte difficilement à cette nouvelle vie. Son ancienne école de quartier, coquette en comparaison, se trouvait à cinq minutes de marche de la maison familiale. Maintenant, ces cinq minutes de marche ne l'amènent qu'à mi-chemin de l'endroit où il prend l'autobus, et le voyage à bord de celui-ci dure une bonne demi-heure.

Et ce n'est pas tout. En fait, ce nouveau moyen de locomotion est bien le dernier de ses soucis.

Le vrai problème, c'est qu'à l'école primaire, Thomas Hardy était devenu le roi incontesté. Le plus rapide ? Cochez la case. Le plus fort ? Cochez la case. Le plus beau ? Cochez la case. Le plus charismatique de tous les jeunes garçons de tous les groupes d'âges confondus ? Levez vos bras en l'air et criez : ALLÉLUIA !

Mais voilà que l'été est venu puis reparti, faisant pousser et éclore au passage tous les garçons et toutes les filles de son âge… à l'exception de lui et d'une poignée de pauvres petits spécimens parsemés ici et là. Thomas n'a qu'à regarder tout autour pour constater que, désormais, il n'est ni le plus rapide, ni le plus fort, ni le plus beau. Et son charisme, qui en faisait auparavant une si adorable créature aux yeux des enseignants et de la sympathique directrice, ne semble plus impressionner personne dans ces immenses classes de trente élèves. Décidément, notre jeune héros a connu des jours meilleurs.

Mais comment retrouver l'éclat de Thomas le magnifique ? Comment arriver à se démarquer parmi plus d'un millier de têtes alors qu'aucun de ses attributs ne fait le poids dans cette marée d'adolescents ? Assis seul sur une table de pique-nique, Thomas pense fort : son cerveau repasse en continu un montage de ses meilleurs coups, de ses faits saillants. C'est lorsque son regard se pose sur le toit de l'entrée extérieure du gymnase qu'il est frappé par une idée en apparence géniale. En sixième année, alors que ses aptitudes physiques le lui permettaient enfin, il a réussi à monter sur un toit similaire pour aller récupérer les nombreux ballons qui s'y étaient accumulés depuis le début des classes (et qu'aucun adulte n'avait pris la peine d'aller chercher). Rapidement, une foule d'enfants hystériques s'était amassée juste en dessous de lui et, du haut du toit, il se sentait comme une véritable star dont les moindres gestes étaient clamés par sa légion de fans.

Le plan est donc simple : recréer cet événement déterminant afin de reconquérir son trône. Pourquoi ne pas y avoir pensé plus tôt ? Sans hésiter une seconde, Thomas descend la petite colline qui l'amène à l'entrée du gymnase. Il étudie la structure un instant, puis parvient sans trop de difficulté à monter sur le toit qui s'élève à une dizaine de pieds. Dès qu'il se retrouve en haut, le garçon constate qu'une poignée de curieux l'observent, mais sans plus. Il siffle alors quelques airs de comptines qui lui viennent à l'esprit. Réalisant alors qu'il en faudra davantage pour attirer les regards, il se met à chanter *Baby* de Justin Bieber (qu'il n'apprécie pas du tout, mais dont il a mémorisé malgré lui les paroles à cause de sa petite sœur) en se trémoussant de manière caricaturale.

Il n'en faut pas plus pour que plusieurs jeunes se trouvant dans la cour le remarquent et, lentement mais sûrement, qu'un groupe considérable se forme devant lui. Cependant, la réaction du public n'est pas exactement celle qu'il avait escomptée. Malgré quelques sourires authentiques accompagnés de rires, la plupart des élèves le dévisagent, ce qui le rend aussitôt mal à l'aise. Et bien qu'il souhaite à présent plus que tout devenir invisible, il est, pour une raison qu'il ignore, incapable de s'arrêter.

— Qu'est-ce qu'il fait ? demande une spectatrice à son amie d'un air incrédule.

— Il est devenu fou, ce p'tit-là, commente un autre.

Et ça se poursuit :

— Dépression nerveuse, probablement.

— Bah ! Il veut juste attirer l'attention !

— Il est sérieux ou il niaise ? Je comprends pas trop, là.

— Chhhhut ! Il est peut-être retardé !

— Est-ce que c'est moi ou les secondaire un sont de plus en plus petits ?

— Il est vraiment mignon, non ?

— Oups ! Les surveillants l'ont vu. Regarde bien ça !

— Oh, mon Dieu, il est trop pissant, celui-là !
Yeah, baby ! Yeah !

— Je filme tout avec mon iPhone ! Haha !

— Moi aussi ! Moi aussi !

En voyant les surveillants arriver, Thomas s'arrête sec.

— Hé ! Descends de là, toi ! Tout de suite !

Le cœur du garçon bat à toute allure.

— Tu penses accomplir quoi au juste ? Allez, descends maintenant si tu ne veux pas que je vienne moi-même te chercher !

Oups ! Thomas vient à peine d'arriver dans cette satanée école qu'il s'est déjà attiré des ennuis ! Quelle est donc la peine maximale pour un spectacle improvisé sur le petit toit du gymnase ? Les pires scénarios se bousculent dans sa tête et aspirent du coup les derniers millilitres de son assurance. Paniqué, il tente un dernier coup d'éclat avant de se rendre. Il prend une grande inspiration, recule de quelques pas et tandis que, comprenant ses intentions, la foule se divise en plein milieu, il s'élance dans les airs et atterrit dans une roulade à moitié réussie, s'écorchant au passage les genoux et la paume des mains. Grimaçant de douleur, il se relève et se laisse guider docilement vers le bureau du directeur sous quelques applaudissements sarcastiques.

En chemin vers le pénitencier, le silence du gardien est glacial.

— Mais… mais j'ai rien fait de mal! s'indigne Thomas sans trop de conviction. Je voulais juste égayer un peu l'atmosphère, je…

— Tu expliqueras tout ça à monsieur Sigouin! l'interrompt aussitôt le grand moustachu sans montrer le moindre signe d'empathie.

Lorsqu'ils arrivent à destination, le surveillant fait signe au garçon de s'asseoir et pénètre seul dans le bureau. Pendant que les deux hommes échangent quelques mots, Thomas essaie de trouver une excuse valable, mais en vain. Sa tête tourne et la crainte d'être renvoyé le paralyse. Il s'imagine le regard de son père, furieux au dixième degré, qui le désintègre comme un laser super puissant. Ou pire, ô combien pire encore, l'air de déception intolérable de sa mère. Le jeune Hardy, deuxième d'une progéniture qui comprend un grand frère aux mille accomplissements et une petite princesse au sourire étincelant qui lui permet d'obtenir tout ce qu'elle désire, vient de se condamner lui-même au terrible statut de mouton noir de la famille. Un gros frisson le parcourt.

— Tu es ici pour quoi, toi? lui demande un garçon assis juste à côté de lui et dont Thomas n'avait même pas remarqué la présence.

Thomas se retourne et l'étudie brièvement : il semble avoir le même âge que lui, sa peau est basanée et il s'exprime avec un accent espagnol ; sa lèvre inférieure est boursouflée et ses yeux dégagent une grande confiance en lui.

— Euh… je sais pas trop là. J'ai… euh… j'ai dansé… genre.

Le garçon se met à rire.

— Dansé ? *Aye aye aye ! Peligroso delincuente !*

— Ça veut dire quoi, ça ?

— « Tu es un dangereux criminel ! » dit le garçon en lui faisant un large sourire.

Mais Thomas est trop nerveux pour le lui rendre. Au même moment, le surveillant sort du bureau et lui fait signe d'entrer. Tandis qu'il s'exécute, il sent ses jambes ramollir et sa gorge se serrer.

— Ernesto ! lui lance son codétenu.

— Pardon ? demande Thomas en se retournant.

— Mon nom, c'est Ernesto.

— Ah… euh… oui.

Thomas entre à l'intérieur de la pièce, et la porte se referme derrière lui.

Le bureau de monsieur Sigouin est propre, ordonné et sans artifices. La seule touche personnelle consiste en un petit cadre dans lequel figure la photo ridicule d'un bichon maltais portant un nœud papillon.

— Assoyez-vous! ordonne le directeur d'un ton sec et autoritaire qui surprend Thomas. Et enlevez vos mains de vos poches!

L'homme austère, avec ses cheveux finement peignés et son veston démodé, n'entend certainement pas à rire.

— On va vous apprendre les bonnes manières! poursuit-il en tapotant fermement le dessus du bureau avec son index.

Figé, Thomas retire ses mains de ses poches, mais oublie de s'asseoir. Le directeur lève exagérément le sourcil gauche et bombe le torse en posant ses deux mains sur le bureau. Ce geste d'intimidation, qui aurait bien fait rire un élève de cinquième secondaire (Luc Sigouin, du haut de ses cinq pieds et cinq pouces, pèse à peine cent vingt-cinq livres), produit chez le garçon l'effet désiré.

— Est-ce que vous allez vous asseoir par vous-même ou vous avez besoin d'un petit coup de main?

Il n'en faut pas plus pour que Thomas pose son postérieur sur la chaise.

— Alors comme ça, on se croit tout permis dans l'établissement, c'est ça? Je suppose que c'est votre statue qui a été érigée devant l'entrée principale?

— Euh... non, monsieur.

— Ce n'était pas une question !

— Ah non ?

— Pas une vraie en tout cas !

— Oh, désolé, monsieur le directeur.

Tandis que l'alerte d'un courriel entrant retentit, l'homme regarde brièvement l'écran de son ordinateur, sourit, écrit quelques mots, puis se retourne vers le jeune contrevenant. Son expression est redevenue sévère.

— Vous devez avoir une bonne explication pour tout ça, non ? Et puis, je serais prêt à parier qu'elle est tout à fait fascinante !

— Est-ce que c'est une vraie question, ça ? demande sincèrement Thomas sans la moindre trace d'ironie.

— Évidemment ! réplique bêtement monsieur Sigouin en s'étouffant presque.

Thomas réfléchit alors aux événements récents, mais son esprit est confus. Il aimerait tellement pouvoir exprimer toutes ces angoisses et ces peurs qui font de son passage au secondaire une terrible épreuve. Il aimerait tellement pouvoir parler de ce qu'il a laissé derrière lui et qu'il craint plus que tout de ne jamais retrouver. Mais pas un seul mot ne sort de sa bouche devant cet adulte qui ne lui inspire aucune confiance, et il ne trouve rien d'autre à faire que fixer piteusement le plancher fraîchement ciré.

DEUX

Thomas est dans sa chambre, appuyé contre le rebord de la fenêtre à regarder la pluie tomber. Hier, à la même heure, il recevait sa sentence : une journée de suspension et une lettre d'excuses d'au moins cinq cents mots. «Vous comprendrez, chère madame, que si tôt dans l'année, on doit faire de lui un exemple», a dit le directeur à sa mère. Par ailleurs, la réaction de cette dernière n'a pas été celle que Thomas avait prévue. Le fameux regard de déception, tant redouté, ne s'est pas présenté. En fait, il n'y a pas vraiment eu de regard, seulement cet inconfortable silence dans la voiture sur le chemin du retour. Un silence qui s'est révélé encore plus percutant pour le garçon, d'autant plus que la réaction de son père a été presque aussi anémique.

Étrangement, Thomas aurait préféré une montée de lait, une crise ou n'importe quelle autre attitude moins détachée qui lui aurait prouvé qu'ils s'intéressent à lui, à ce qu'il fait. Dans leur apparente résignation, ses parents lui ont donné malgré eux l'impression que ses gestes n'avaient pas vraiment d'importance, qu'ils soient bons ou mauvais. C'est pour cette raison que le garçon a accueilli avec un curieux soulagement l'interdiction formelle de toucher à tout objet électronique pendant sa journée de suspension (cette conséquence aurait normalement constitué un châtiment brutal). Au moins, cela démontrait de leur part un minimum de considération.

Toujours est-il que regarder les gouttes d'eau subir l'effet de la gravité n'est pas le passe-temps le plus passionnant du monde, et comme la lettre d'excuses est déjà écrite et signée, Thomas s'ennuie à mourir. Il ne l'avouerait jamais à personne, mais il a même dépoussiéré ses anciennes figurines de superhéros, tentant de capturer de nouveau la magie des scénarios d'antan. Mais en vain : il se sent désormais incapable de donner vie à ces personnages de plastique *made in China*. Idem pour ses Lego multicolores, avec lesquels il ne trouve plus la motivation de construire quoi que ce soit.

Lorsqu'il lui a demandé ce qu'il était censé faire pendant toute une journée sans télévision, ni Internet, ni jeux vidéo, son père lui a répondu sans hésiter « Tu liras », ce qui lui a fait rouler les yeux. Mais aujourd'hui, tandis que le temps marche d'un pas lent, main dans la main avec la solitude, l'idée ne semble plus aussi absurde que la veille. Thomas se frotte donc le visage vigoureusement pour vaincre l'effet hypnotique de la pluie (similaire à celui d'un feu de foyer), puis descend l'escalier vers le bureau de son père.

La pièce, véritable havre de tranquillité pour le paternel, est plutôt traditionnelle avec son imposant bureau en chêne massif, son fauteuil de cuir capitonné et les diplômes d'ingénierie accrochés sur le mur. On y trouve aussi de nombreux objets inusités, ramassés au fil des ans, dont certains remontent à la jeunesse lointaine du principal occupant des lieux (inutile de dire que l'accès à cette pièce est une permission toute récente pour Thomas, lui qui s'est distingué très jeune par sa maladresse et sa tendance obsessive à fouiner). Mais le joyau ultime du bureau, c'est sans aucun doute l'immense bibliothèque qui s'étend sur deux murs et qui contient des centaines et des centaines de livres aussi variés qu'anciens, anciens car aujourd'hui, Xavier Hardy n'a plus beaucoup de temps pour lire autre chose que le journal.

Thomas, qui a grandi dans l'ère moderne du divertissement en ligne, n'a jamais accordé beaucoup de place aux bouquins dans son cœur.

À ses yeux, ils ne sont qu'un moyen dépassé de raconter des histoires, et il préfère grandement les pages interactives d'Internet, plus dynamiques et colorées que ces vieilles reliques sans composantes électroniques. Il balaie donc les titres des yeux sans trop d'enthousiasme, laissant traîner le bout de ses doigts sur les différentes textures des reliures. Mais voilà qu'un de ces fossiles de papier, qui ressort du lot par sa grosseur, mais aussi par le bleu intense de sa couverture, attire son attention. Il s'agit de l'édition 1978 du *Livre des records Guinness: De l'infiniment petit à l'infiniment grand…*

Guinness. Ce nom lui est plutôt familier, car il s'agit aussi de la marque de bière préférée de son père. « Elle est noire, lui a déjà expliqué ce dernier, parce que les grains sont torréfiés comme le café. Il y en a d'autres qui ont essayé de l'imiter, mais elle, c'est l'originale, la vraie. Et puis, tu sauras, mon cher fils, que si tu es bel et bien digne de ton sang irlandais, un jour, tu en boiras toi aussi. » Avait suivi une brève (et pénible) dégustation qui avait fait jurer secrètement au jeune garçon de se contenter du lait pour le restant de ses jours. Néanmoins, il s'agit du genre de moments simples qu'il aime partager avec le paternel et qui se font maintenant trop rares à son goût.

Thomas saisit le livre et s'assoit dans l'imposant fauteuil de cuir. Intrigué par les images de la couverture (où figurent, entre autres, deux obèses sur des motos miniatures et un contorsionniste qui semble pouvoir s'enfermer dans un cube vitré de la hauteur de sa cuisse), il se met à parcourir les pages, le sourire aux lèvres, étonné par les choses extraordinaires et insolites que peuvent accomplir les êtres humains. L'aspect ancien des photographies le fascine aussi, ainsi que les accoutrements et les coiffures étranges que portaient les gens à l'époque. En 1978, ses parents avaient à peu près son âge, et ce simple fait l'émeut considérablement.

En lisant certains des comptes rendus officiels, Thomas prend conscience du caractère historique des exploits, de la signification qu'ils prenaient dans le temps. Des personnes, en apparence ordinaires, peuvent réussir, en poussant à l'extrême leurs capacités et leurs limites, à s'immortaliser dans un grand livre tel que celui-ci. Quelle douce satisfaction ces individus ont dû ressentir en se démarquant ainsi du monde entier ! Thomas sent soudain des fourmis lui chatouiller les membres, et son cœur se remplit d'espoir : son nouvel objectif de vie, aussi étincelant qu'une étoile dans un ciel parfaitement noir, sera d'établir un record

Guinness ! Un record grandiose et absolument imbattable qui lui vaudra l'adulation de tous !

Toutefois, son excitation retombe vite, car une question majeure met un bémol à son ambition : par où peut-il bien commencer ? Thomas fait alors les cent pas dans la pièce, le précieux livre serré contre sa poitrine, puis se rend au sous-sol où son grand frère s'est établi depuis deux ans déjà. Bourrée de trophées et de médailles provenant de disciplines sportives et scolaires, la chambre possède un four à micro-ondes et un mini réfrigérateur (pour un peu plus d'indépendance), son propre cinéma maison ainsi qu'un banc d'entraînement où reposent plusieurs poids et haltères. Comparée à celle de Thomas, cette chambre ressemble à un véritable palais et, bien que le prince Charles se paie ce luxe lui-même avec ses deux emplois, il est fort difficile pour son petit frère de ne pas ressentir un brin de jalousie.

Après avoir déposé sa nouvelle bible sur le lit, Thomas s'avance vers le banc de musculation et étudie les différents haltères. Il se penche vers le moins lourd, l'empoigne avec détermination et le soulève au-dessus de sa tête. Cela suffit pour lui étirer douloureusement le dos et faire sortir ses yeux de leurs orbites, l'obligeant à laisser tomber l'objet de vingt livres sur le plancher de bois qui s'enfonce sous l'impact. L'haltère se met à rouler, comme guidé par une force mystérieuse (un sol légèrement en pente), jusqu'à ce que le support à guitare de son frère interrompe sa trajectoire. « Non, non, non, non, non, non, NON ! ! ! » Le résultat est terrible : la tête de l'instrument est brisée et sa caisse, égratignée. Pris de panique, Thomas replace tout (enfin presque), ramasse son livre, puis remonte aussitôt au rez-de-chaussée la tête basse, refoulant au plus profond de son esprit cette première défaite et évitant de penser à la colère de Charles lorsqu'il rentrera du cégep.

Comme il est plutôt évident que son record du monde ne sera pas une prouesse athlétique, Thomas se plante devant le miroir de la salle de bain et s'observe attentivement. Il sort la langue et essaie de toucher son nez, étire son rictus le plus possible et fait bouger légèrement ses oreilles, bref, rien de trop impressionnant. Peut-être pourrait-il devenir le premier enfant à se faire tatouer de la tête aux pieds. Cette pensée le fait rire un bon coup, surtout quand il imagine la tête que ferait sa mère en voyant son corps recouvert d'encre. Mais que peut-il réellement espérer accomplir ? Il n'a en apparence rien de spécial, ne dispose d'aucun moyen financier et ne possède que très peu de choses à empiler les unes sur les autres ou avec lesquelles remplir une piscine. Avide d'inspiration, Thomas essaie de se connecter à Internet malgré l'interdiction, mais constate rapidement que le fil a été retiré et caché. «Grrrr!»

Au souper, toute la famille sauf le grand frère se retrouve à la table. Diane, la mère de Thomas, sert le souper en silence et semble préoccupée. Xavier, pour sa part, est plongé dans un dossier urgent et n'ouvre la bouche que pour commenter occasionnellement les nouvelles diffusées à plein volume dans le salon. Quant à la petite Jasmine, elle chantonne en plaçant compulsivement ses aliments en ordre dans son assiette.

— Est-ce que je vais pouvoir aller sur Internet ce soir? demande Thomas à son père.

Celui-ci lève les yeux dans sa direction et finit de mâcher ce qu'il a dans la bouche.

— Est-ce qu'on est demain?

— Non.

— Alors, tu vas devoir t'en passer.

— Thomas est en pénitence? demande Jasmine avec un sourire pétillant.

— Toi, la p'tite curieuse, tu arrêtes de jouer avec ta nourriture et tu manges ton repas, répond Xavier.

Il sourit à sa fille et replonge dans ses documents. Jasmine se tourne vers son frère et lui fait une grimace.

— Moi, je vais clavarder sur Internet toute la soirée ! lui lance-t-elle pour le provoquer.

— Toi, la ferme !

— Thomas ! N'embarque pas là-dedans ! s'indigne sa mère. Tu ne penses pas en avoir assez fait pour aujourd'hui ?

— Oui, mais c'est elle qui a commencé, elle m'a…

— Je ne veux rien entendre ! Ah, puis va dans ta chambre ! Je n'ai pas la tête à ça en ce moment !

Xavier regarde sa femme avec étonnement, puis fait discrètement signe à son fils de quitter la pièce.

Étendu sur son lit, Thomas attend patiemment que son père ou sa mère vienne cogner à la porte, mais cela ne se produit pas. Normalement, l'un ou l'autre serait venu pour discuter de ce qui s'est passé, pour dédramatiser les choses et rassurer leur fils en lui disant qu'ils ne sont plus fâchés contre lui. Mais voilà qu'il est laissé seul avec lui-même, sans direction et sans appui. *Est-ce que c'est ça, devenir grand ?* se demande-t-il alors en s'imaginant le ciel au-delà du plafond de la chambre. Puis, il sent son ventre se serrer à la pensée que, demain, il devra faire face aux élèves de l'école et à l'effroyable directeur du premier cycle.

Tandis que la soirée avance et que le sommeil approche, Thomas ouvre une dernière fois son grand livre bleu. Comme par magie, toutes ses angoisses se dissipent devant les histoires et les images inspirantes qui s'y trouvent. Fermant les yeux, il rêve au moment où il aura enfin prouvé sa valeur au monde entier, et avant tout aux membres de sa famille.

Il imagine le regard fier de ses parents et celui, envieux, de son frère et de sa sœur. Il imagine ses professeurs se vantant de l'avoir compté parmi leurs élèves, tous convaincus d'avoir contribué à son énorme succès. Il imagine les garçons de son âge voulant tous désormais lui ressembler et les filles se jetant à ses pieds.

Ce qu'il n'imagine pas, et qui est bien réel, c'est le cri de Charles qui vient tout juste de rentrer à la maison: «THOMAS!!! MA GUITARE!!!»

TROIS

Il y a trois choses inévitables dans la vie d'un préadolescent : les changements physiques, la perte de l'innocence et la difficulté à ouvrir les yeux les matins d'école, particulièrement après une nuit de demi-sommeil à revoir le rictus furieux d'un grand frère criant des reproches à tue-tête. Et voilà que la pluie s'y met, chaque goutte implorant Thomas de se laisser emporter par la douce berceuse qu'elle joue avec ses sœurs. Heureusement (ou malheureusement, selon la perspective), le réveille-matin ne se trouve plus à portée de main, mais plutôt à l'autre bout de la pièce, forçant le jeune corps paresseux à se déplacer pour mettre fin au vacarme. Ses pieds traînant sur le plancher froid comme ceux d'un Frankenstein fraîchement réanimé, Thomas s'empresse tout de même de faire taire l'infâme objet de torture et se dirige vers la salle de bain pour entamer sa routine matinale.

La douche brûlante se charge de rétablir la température du corps et d'apporter un peu de réconfort à l'esprit ; les vêtements propres deviennent le symbole du renouveau ; le bol de céréales, avec son apport non recommandé en guimauves multicolores, constitue un lien rassurant avec l'enfance ; le brossage des dents est à la fois un supplice et un investissement pour l'avenir ; la vérification des courriels et de l'activité (voire du manque d'activité) sur la page Facebook constitue l'espoir d'une vie sociale acceptable ; le départ est le grand voyage vers l'inconnu qui nécessite son lot de courage.

En chemin vers l'arrêt d'autobus, Thomas observe son quartier d'un nouvel œil. C'est comme si des murs étaient tombés, lui permettant de s'aventurer toujours plus loin. À peine trois mois auparavant, son environnement se limitait au voisinage, au parc et à l'école du quartier. La vie était simple et prévisible ; les visages, tous familiers. À présent, avec l'ajout d'un long trajet qui traverse sa ville, d'un pont plein de trafic et d'un collège immense, son univers s'est agrandi d'un coup sec. Est-il le seul à se sentir un peu désemparé ? Ses anciens camarades qui se sont éparpillés après la fin du primaire vivent-ils une situation semblable ? Alors qu'il attend le moment opportun pour traverser le boulevard, une voiture passe à toute allure à quelques pieds de lui et l'asperge d'eau sale. Le passager, un adolescent aux yeux rougis et dépourvus d'intelligence, le pointe du doigt en riant tandis que l'engin s'éloigne sans pitié.

Détrempé et le moral à terre, Thomas poursuit sa route jusqu'à l'abribus où il voit un ami de longue date avec qui il faisait autrefois les quatre cents coups. Celui-ci est plongé dans un bouquin. Une lueur d'espoir apparaît dans les yeux de Thomas et c'est avec entrain qu'il aborde le revenant.

— Olivier !

Le garçon lève les yeux et lui rend son sourire.

— Hé, Tom ! Ça va, mec ?

Thomas hésite un instant en regardant ses vêtements mouillés.

— Euh… pas pire.

Olivier remarque en même temps l'état de son copain et fronce les sourcils.

— Bah ! ajoute Thomas. Une deuxième douche, juste pour être sûr. Pis toi, ça roule ?

— Ouais, la vie est pas mal cool, mon école est trop *nice*, mon gars.

Le collège d'Olivier, axé sur des programmes renommés de sport-études, était jusqu'à l'an dernier un établissement pour garçons. C'est d'ailleurs pour cette seule et unique raison que

Thomas n'a pas voulu s'y inscrire. Mais voilà que, quelques mois avant la fin de l'année scolaire, la direction a annoncé son intention d'accepter les filles à l'automne suivant, offrant à celles-ci des épreuves d'admission de dernière minute. Évidemment, la nouvelle a terrassé le jeune Hardy, et sa décision initiale de ne pas se présenter à l'examen d'entrée (malgré les recommandations de sa mère) constitue le pire regret de sa courte vie. Et malheureusement, étant donné le niveau scolaire élevé du collège où il s'est inscrit, seule une poignée d'élèves de son école primaire y ont été admis, desquels d'ailleurs aucun ne figurait parmi ses copains.

— J'imagine, répond Thomas. Non seulement vous faites des sports tous les jours, mais en plus vous avez des filles maintenant !

Olivier acquiesce avec satisfaction.

— T'as pas idée ! Pis elles sont trop belles, ç'a juste pas de sens !

— Vraiment ? Genre la plupart ou… ?

— TOUTES !

Trop envieux pour déceler l'extrême exagération de cette déclaration, Thomas ressent aussitôt le besoin de mentir à son tour :

— Même chose pour moi, c'est juste trop difficile de choisir. J'en ai trois qui me tournent autour en ce moment, je sais plus trop qui choisir, là…

Il sent alors le regard d'Olivier le balayer de la tête aux pieds, puis sortent de la bouche de ce dernier les pires paroles imaginables :

— Est-ce que j'hallucine ou je suis rendu plus grand que toi ?

— Euh…

Son ami se rapproche de lui jusqu'à ce que la différence de grandeur soit on ne peut plus évidente.

— C'est clair, j'ai presque une tête de plus.

Pis trois millions de boutons aussi ! pense aussitôt Thomas, vexé.

— Bon, c'est mon bus qui arrive. Fais attention à toi, pis bonne chance avec tes demoiselles.

— Toi aussi.

Juste avant qu'Olivier monte dans l'autobus, Thomas lui lance :

— On pourrait faire de quoi ensemble un moment donné, en souvenir du bon vieux temps !

Mais Olivier se contente de sourire et monte à bord du véhicule sans répondre. Une fissure se forme instantanément dans le cœur de Thomas qui, à ce stade, commence à toucher le fond. Lorsque son propre autobus arrive enfin et ouvre ses portes, c'est avec une mine basse qu'il sort sa carte d'étudiant. Le contraste entre son visage renfrogné et celui de la photo est tel que le chauffeur se permet une blague :

— Tu diras au gars souriant de la photo qu'il s'est fait voler sa carte !

Thomas le fixe quelques instants, puis répond avec le plus grand sérieux :

— Ouin, mais lui au moins il vient pas d'apprendre qu'il souffre d'une maladie incurable.

Nageant dans le malaise, le chauffeur reste coi. Thomas va s'asseoir au fond et plante ses écouteurs dans ses oreilles. Le trajet jusqu'au collège paraît encore plus long que d'habitude, et la prédominance du gris dans le paysage ne fait rien pour remonter le moral de notre héros. Il faut dire que les chansons de son iPod (dérobées dans la musicothèque de Charles) sont plutôt mélancoliques. Somme toute, Thomas n'a plus d'autre choix que de déployer son arme secrète, une arme surpuissante qui a permis à l'homme de se démarquer de ses cousins à quatre pattes : l'imagination.

Tandis que les voitures s'alignent sans fin, leurs pare-chocs collés les uns aux autres, le garçon saute de capot en capot en faisant des culbutes sous le regard ébahi des automobilistes. Il grimpe ensuite les pylônes comme un chimpanzé et court en équilibre sur les câbles en se riant de la vie.

Ça ferait un sacré record Guinness… dans un univers parallèle.

Dès qu'il sort de l'autobus, Thomas regarde sa montre et constate que le trafic l'a inconfortablement rapproché de la première cloche. Inspiré par le souvenir des courses qu'il organisait quotidiennement avec ses anciens camarades dans la cour d'école (et qu'il gagnait toutes), il bondit telle une flèche et accélère comme si sa vie en dépendait. Naviguer à toute vitesse parmi les groupes d'élèves qui se trouvent sur son chemin s'avère être un exercice fort stimulant.

— Excusez !

Une petite vrille.

— Attention, dépassement à droite !

Un bond habile suivi d'une steppette.

— Choo choooooo !

Un groupe se sépare pour le laisser passer.

— Oups !

Il vient d'accrocher au passage le sac à bandoulière d'une étudiante, répandant ses bouquins sur le gazon mouillé.

— Non mais... ça va pas la tête ? s'indigne-t-elle.

— Hé, je suis vraiment désolé !

Il se dépêche de ramasser les livres, les essuie sur son polo et les lui remet. Elle le reconnaît aussitôt.

— C'est pas toi qui dansais l'autre fois sur le toit ?

Ne sachant pas trop s'il s'agit d'une bonne ou d'une mauvaise chose, Thomas hésite un peu.

— Ben… je pense que oui. En fait, je sais que oui, c'est juste que…

La fille se met à rire.

— T'en fais pas, moi pis mes amis, on t'a trouvé drôle.

— Vraiment?

— T'as reçu quoi comme punition?

— Une suspension d'une journée.

— Ouch.

— Ouin, disons que ça part mal l'année. Surtout que le directeur a pas vraiment l'air de m'apprécier.

— Monsieur Sigouin? Je pense pas que le Sigouin aime beaucoup de monde.

Thomas rit, puis observe la jolie demoiselle avec un intérêt soudain.

— T'es en secondaire un, toi aussi? lui demande-t-il en essayant de se remémorer son visage.

— Non, deux.

— Ah, il me semblait bien. Écoute, j'aimerais ça continuer la conversation, mais je dois aller porter ma lettre d'excuses à celui-dont-on-ne-doit-pas-prononcer-le-nom avant que la cloche sonne.

— Hahaha! Bonne chance!

— Merci. Encore désolé pour tes livres.

— Pas de problème.

— Moi, c'est Thomas, en passant.

— Annick.

Ils se serrent la main, se jettent un dernier petit coup d'œil, puis Thomas file vers l'entrée principale. Son cœur bat vite, déjà à l'idée d'aller remettre sa lettre d'excuses au directeur, mais surtout pour sa plus que satisfaisante rencontre avec la belle Annick.

Avant d'entrer dans le bureau, le garçon replace du mieux qu'il peut ses vêtements encore humides et prend une grande inspiration. Il cogne doucement à la porte.

— Oui ? demande le directeur sans lever la tête.

— Euh… pardon de vous déranger, je…

— Monsieur Hardy ! l'interrompt l'homme aussitôt, les yeux toujours rivés sur son écran.

Coudonc, en plus il a des yeux tout le tour de la tête lui ! pense alors Thomas.

— Déposez-la sur mon bureau.

— Euh… comment vous savez que…

— Euh, euh, euh ! Vous n'oseriez pas vous présenter devant moi sans la précieuse lettre, est-ce que je me trompe ?

— Non.

— Alors, déposez-la sur mon bureau et dépêchez-vous de monter à votre classe.

Thomas obéit, puis se dirige vers la sortie.

— SANS COURIR!

— Oui, monsieur.

Décidément, il s'agit de l'être le plus désagréable que Thomas ait eu la malchance de rencontrer dans sa vie : l'année s'annonce longue.

QUATRE

Thomas est assis devant l'ordinateur numéro neuf du local d'informatique, l'exercice du jour étant déjà terminé et vérifié par son jeune enseignant. Sa récompense? Le droit de passer les quinze dernières minutes du cours à explorer Internet (enfin!). Inutile de dire que la première et dernière chose qu'il regarde est le site officiel des records Guinness, auquel il n'a pu accéder chez lui le matin même. La page est tape-à-l'œil, et les images cocasses le font immédiatement sourire, comme le chien aux oreilles gigantesques, la jolie fille qui sort la langue plus loin que son menton, le lilliputien en habit de Superman et l'homme qui, en s'étirant la bouche, ressemble à un hippopotame. Amusant, certes, mais rien de trop inspirant. C'est plutôt quand Thomas voit la photographie d'un équilibriste, perché au-dessus de montagnes enneigées avec un hélicoptère en arrière-plan, que son cœur se met vraiment à battre.

— Waouh! s'exclame-t-il dans la classe silencieuse.

Quelques curieux jettent un regard sur son écran, mais s'en désintéressent aussitôt. Thomas clique sur le lien et lit le court texte descriptif : « Freddy Nock… un cascadeur suisse… la plus haute marche en équilibre sur câble… » Voilà qui est fort intéressant. Peut-être que sa rêverie d'acrobaties sur le pont n'est pas aussi impossible qu'il l'avait d'abord cru. « Sept tentatives de record en sept jours ! » Incroyable ! Il s'empresse de faire jouer la vidéo et monte le volume de son casque d'écoute. Dès les premières secondes, il sent les poils de ses bras se hérisser. La musique crée une ambiance féerique qui le projette dans la scène comme s'il s'y trouvait véritablement. Il ne comprend pas très bien l'anglais parlé, mais les images superbement filmées le captivent. Soudain, une main se pose sur son épaule et le fait sursauter. Thomas enlève son casque.

— Qu'est-ce que tu regardes de si intéressant ?

C'est Jean-François, son professeur d'informatique, qui refuse d'être vouvoyé ou de se faire appeler « monsieur ».

— C'est le site des records Guinness ! répond Thomas avec enthousiasme.

— Ha ! J'aimais vraiment ça, regarder les livres, quand j'étais plus jeune. On en avait deux ou trois à la maison. J'ai dû passer au travers des centaines de fois, tellement que les pages sont abîmées.

— Cool. Moi aussi, ça me fait triper.

— Il y avait même des émissions à la télé. Le contenu était souvent ridicule, mais je les regardais quand même. Je me souviens encore du gars qui essayait de briser des briques avec sa tête. J'étais tellement mal à l'aise de le voir échouer constamment que j'ai dû changer de chaîne. Et puis, toi, comment tu as découvert ça ?

— Oh, hier après-midi j'ai trouvé l'édition de 1978 dans la bibliothèque de mon père. Depuis, j'y pense tout le temps !

— Hé, c'est l'année de ma naissance ! Je l'avais moi aussi, celui-là !

— Pour vrai ?

— D'ailleurs, j'ai souvent rêvé d'établir moi-même un record.

— T'as déjà essayé ?

— Haha ! J'ai jamais réellement pensé essayer en fait.

— Pourquoi ?

Un peu pris au dépourvu par la question, le sympathique enseignant se gratte les poils du menton et réfléchit quelques instants avant de répondre :

— Eh bien… tu sais, des fois dans la vie… hum… tout ne se passe pas nécessairement comme tu l'avais prévu… quand tu étais enfant.

Tandis que Jean-François regarde dans le vide, son visage prend tout à coup un air nostalgique.

— Ah non? lui lance Thomas.

— Non, répond le jeune homme après avoir secoué la tête. Mais continue à rêver, rêve fort. Pour toi, ce sera certainement différent.

Il ébouriffe affectueusement les cheveux de Thomas, puis se dirige vers un autre élève qui lève la main. Perplexe, le garçon repense brièvement aux mots de son professeur, puis jette un coup d'œil à l'horloge. Plus que cinq minutes! Il entre alors dans la section « Établissez un record », où plusieurs options sont présentées. N'ayant ni le temps ni le projet nécessaires pour s'inscrire, il choisit plutôt de regarder quelques vidéos de participants. C'est la déception totale!

La page est remplie de défis complètement ridicules et montre des gens qui réalisent, dans leur chambre ou leur cuisine, des « exploits » absurdes et sans envergure. Déposer des M&M's dans un bocal à l'aide d'une paille? Vraiment? Empiler des allumettes? Dégoûté, Thomas ferme aussitôt la page et tente de capturer de nouveau la magie dans sa tête. Il se rassure en divisant les records en deux catégories: une pour les gens ordinaires et paresseux, et l'autre pour ceux qui travaillent fort et qui sont courageux. Il se fait alors la promesse d'appartenir un jour au second groupe.

Par un heureux hasard, l'exercice dans son cours de français consiste à rédiger un texte de trois cents mots sur sa future profession. Thomas termine le sien juste avant la cloche du dîner, le relit deux fois, puis le pose avec fierté sur le bureau de madame Marquette. Le voici :

Ma profession future par Thomas Hardy

Comme mon grand frère a décidé de suivre les traces de mon père, je crois pouvoir m'en tirer et faire un métier complètement différent sans déplaire au paternel. De toute façon, il y a trop de paperasse à mon goût et je n'ai pas vraiment d'intérêt pour le design. J'ai essayé l'autre jour avec mes Lego, mais ce n'est pas pour moi. Ma mère est directrice d'un centre pour les personnes âgées, mais ça ne m'intéresse pas non plus. J'y suis déjà allé pour visiter mes grands-parents et c'est très déprimant. C'est un peu comme une garderie pour des vieux enfants.

Mon rêve à moi, c'est de battre un record Guinness, mais pas n'importe lequel. J'aimerais que ça soit un record qui demande du courage et de la détermination, comme ceux de Freddy Nock. Lui, il vient de la Suisse, mais malgré nos origines différentes, on a en commun la même passion. C'est un vrai héros. Il a une femme et une fille et il a l'air très gentil. Au fond, c'est une personne normale qui fait des choses extraordinaires. Il doit être célèbre là où il vit et peut-être que moi aussi, je deviendrai célèbre.

Je ne sais pas s'il y a une école pour les cascadeurs, mais s'il y en a une, j'aimerais bien y aller après le secondaire. À la graduation, au lieu de lancer mon chapeau noir dans les airs comme dans les films, moi je lancerai mon chapeau d'Indiana Jones. J'aimerais que mon nom soit dans le Livre des records Guinness et que ma photo soit sur la couverture. Peut-être qu'un jour, un enfant la verrait et que ça l'inspirerait à son tour. Peut-être que ce serait mon enfant à moi, mais ça, il est beaucoup trop tôt pour y penser.

Voilà, ça fait trois cents mots.

Remarquant la bonne humeur de Thomas, madame Marquette lui tire sur la manche. Quand il se retourne, elle lui dit :

— C'est bien la première fois que je te vois sourire depuis le début de l'année. Qu'est-ce qui me vaut un tel honneur ?

— Je sais pas. Je me sens juste… inspiré.

— Par l'exercice que je vous ai donné ?

Thomas acquiesce.

— Alors, j'aurai sans doute du plaisir à lire ton texte.

— Je peux rien garantir, mais moi, ça m'a fait du bien de l'écrire en tout cas.

— Ça rend les choses plus concrètes quand on les met sur papier, non ?

— On dirait que oui, comme si c'était un genre de contrat. Avec soi-même. Est-ce que vous avez toujours su que vous seriez enseignante plus tard ?

— Hmm… disons que je l'ai su assez vite. J'aime beaucoup apprendre de nouvelles choses aux gens, spécialement aux jeunes. Quand j'étais petite, c'est moi qui passais le plus de temps à montrer des nouveaux trucs à mes frères et sœurs.

— Vous aviez ça dans le sang, alors.

L'enseignante sourit.

— On peut dire ça, oui. Laisse-moi voir…

Elle lit le texte de Thomas en diagonale et en est étonnée.

— Cascadeur? Spécialisé en records Guinness? Ah bon! On n'entend pas ça tous les jours en tout cas.

— C'est justement mon but. Je veux éviter de faire les choses que les gens font tous les jours.

— Je vois. Mais cascadeur, c'est pas un peu dangereux, ça?

— Mon père dit toujours que ceux qui prennent pas de risques obtiennent jamais rien dans la vie.

— Hahaha! On dirait bien que tu as pris les paroles de ton père au sens littéral, mon cher!

— Ça veut dire quoi, « littéral »?

— Ça veut dire « dans le sens premier des mots ». Ça m'étonnerait que, par « risque », ton père veuille dire « mettre ta vie en danger ». Il voulait probablement t'enseigner qu'il est important de prendre les devants dans la vie, qu'il ne faut pas s'endormir sur ses lauriers.

— S'endormir sur ses lauriers?

La sonnerie, une petite séquence de quatre notes qui a remplacé le traditionnel son de cloche, se fait entendre, et les étudiants se lèvent aussitôt.

— On en parlera demain si tu veux, Thomas.

Un peu confus, le garçon prend une note mentale : *tirer plutôt ça au clair avec le paternel.*

— Bonne journée, madame.

— Toi pareillement. Et bon appétit !

Tenaillé par la faim, Thomas se demande bien s'il saura aujourd'hui résister à la tentation de se remplir un cabaret.

CINQ

Thomas fait la file devant la caisse, l'odeur de son potage chatouillant ses narines. Il a opté pour un maigre repas (incluant quatre sachets de craquelins gratuits) sans boisson ni dessert, question d'engraisser un peu sa tirelire sans pour autant mourir de faim. « Couper la pomme en deux », comme dirait Xavier quand il parle d'affaires au téléphone. Le caissier, un vieillard bossu et un peu lent d'esprit, peine à ramasser les pièces de monnaie avec ses mains tordues par l'arthrite. Cet homme a-t-il déjà été jeune ? L'idée paraît impossible pour le garçon. Lorsque son tour arrive enfin, il redouble de gentillesse envers le vieillard qui, par le simple fait qu'il travaille encore, inspire le respect.

Tandis qu'il se dirige vers sa table habituelle où l'attendent William et Karl, Thomas entend une voix féminine crier son nom. Il tourne la tête vers la droite et voit Annick qui lui fait signe de venir s'asseoir avec elle et sa bande. Sa bande… de secondaire deux ! N'en croyant pas ses yeux,

Thomas regarde derrière lui pour s'assurer qu'il n'y a pas erreur sur la personne, puis avance d'un pas incertain vers la table de la demoiselle. Percevant son hésitation, cette dernière se lève et vient le rejoindre.

— Salut, Thomas!

— Salut… euh… Annick.

— Ça te tente de venir manger avec nous?

Thomas remarque que tous le fixent avec curiosité.

— T'es certaine que c'est correct?

— Ben oui, franchement, on va pas te manger!

— Je sais mais…

— Allez, viens!

L'adolescente prend son cabaret et le dépose sur la table à ses côtés. Elle s'occupe ensuite des présentations et, après quelques instants d'incertitude, Thomas relaxe enfin. Le groupe est composé de cinq filles et de trois garçons. Leur gestuelle révèle une assurance que seuls les étudiants populaires semblent posséder, et chacun paraît à l'aise de prendre sa place pour s'exprimer ou faire des pitreries.

— Et pis toi, lance une copine d'Annick à Thomas, comment t'aimes ça à date, le collège?

— Pas pire… En tout cas, aujourd'hui, ça va bien.

Les filles se regardent et se mettent à rire. Les trois garçons, eux, roulent les yeux presque en même temps.

— Oui, affirme une grande rousse avec dérision, Annick a tendance à faire cet effet-là !

— Tais-toi, espèce de folle ! réplique aussitôt la principale intéressée en faisant mine de lui donner une claque au visage.

Les filles s'esclaffent de nouveau. Cependant, un des garçons n'entend pas à rire. Il fixe Thomas avec beaucoup de sérieux.

— Faut surtout pas oublier qu'elle sort avec mon frère. Mon grand frère de secondaire trois qui fait de la boxe.

— T'as pas rapport, Dany ! le corrige immédiatement Annick. On fait juste déconner.

— Mais, lui, il savait pas. Là, il sait.

— Relaxe, *man* ! se permet un autre. C'est juste un petit secondaire un…

Ces dernières paroles piquent Thomas au vif, mais il n'en laisse rien paraître : il compte bien profiter entièrement de cette chance inouïe d'être attablé avec de si distingués personnages. Lorsqu'il cesse d'être le centre de l'attention, il jette un coup d'œil à l'autre bout de la cafétéria où sont assis ses deux camarades. Son regard croise aussitôt celui de William qui ajuste ses lunettes et l'observe avec une incompréhension totale. Ce dernier lui fait signe comme pour demander une explication, mais Thomas fait semblant de ne pas l'avoir vu. Inconsciemment, il agit exactement comme Olivier l'a fait avec lui : la promesse d'appartenir à ce nouveau groupe est trop alléchante.

Comme le temps est plutôt moche, la plupart des élèves décident de rester à l'intérieur après le dîner. Certains se contentent de bavarder, d'autres sortent des cartes ou des jeux de société (les consoles de jeu portatives et les téléphones cellulaires sont interdits dans le bâtiment). Le niveau d'énergie est élevé et le vacarme ambiant le reflète : il y a tellement d'action à la table et autour d'elle que Thomas réussit à s'oublier un moment. Il écoute plus qu'il ne parle et, toutes les fois qu'Annick ouvre la bouche, il est plus qu'heureux de pouvoir l'observer sans que ça paraisse louche.

Charismatique à souhait, elle sait mettre les gens à l'aise tout en restant inaccessible. Pour ce qui est de son apparence, la quantité de détails qui plaisent au regard est phénoménale. Non seulement elle porte l'uniforme mieux que n'importe quelle autre fille du collège (selon Thomas, évidemment), mais chacun de ses accessoires attire l'attention sur une caractéristique irrésistible pour le sexe opposé : les grands anneaux qui pendent à ses oreilles, le ruban de tissu qui relève sa longue chevelure brune pour révéler une nuque délicate, les bagues et le vernis qui décorent ses doigts fins et toujours en mouvement. Il y a aussi son maquillage, juste assez prononcé pour mettre en valeur ses lèvres et ses beaux grands yeux verts sans tomber toutefois dans l'excès. Dire que Thomas est déjà amoureux serait un peu exagéré, mais le charme opère certainement.

— Il est tellement laid, Justin Bieber! lance un des garçons alors que quelqu'un parle du célèbre chanteur. Avec son petit toupet qu'il flippe tout le temps! Il peut pas dire trois mots d'affilée sans donner un petit coup de tête pour enlever ses cheveux de sa face!

— Il a changé de coupe, répond la rouquine. Pis t'es juste jaloux! T'as pas de talent, alors tu rages!

Les autres se mettent à rire.

— C'est pas comme Thomas, poursuit-elle. Lui, il sait se trémousser!

— Oui, vous avez manqué ça, les gars! poursuit Annick. Il nous a offert toute une imitation avant-hier!

— Quoi?

Les trois garçons se regardent.

— Tu vas pas me dire que tu tripes sur Justin Bieber? demande l'un d'eux.

Thomas crache presque sa gorgée d'eau.

— T'es fou? C'est ma petite sœur qui écoute tout le temps ça. C'était juste pour faire rire le monde.

Annick se fait rassurante:

— Et ç'a fonctionné.

Les autres filles acquiescent et regardent Thomas avec une admiration exagérée.

— Fais-le encore! lui demande Annick. S'il te plaît, juste pour nous!

— OUIIIII! crie une autre.

Pris au dépourvu, Thomas hésite:

— Euh… non, pas maintenant. C'est pas pareil quand c'est sur commande.

— *PLEASE PLEASE PLEASE PLEASE PLEASE!* le supplient toutes les demoiselles à l'unisson.

Cédant à l'enthousiasme déchaîné de ses nouvelles fans, Thomas se lève et reprend son petit numéro. Il reste dans la caricature, mais exécute avec un peu plus de justesse les mouvements du chanteur, question d'épater la galerie. Pendant la prestation, le jeune Hardy constate qu'il gagne autant de points avec ses admiratrices qu'il semble en perdre avec ses détracteurs: décidément, on ne peut pas plaire à tout le monde. Néanmoins, la majorité l'emporte et il a déjà l'impression de faire partie de la bande. Qui aurait pu prédire une telle chose ce matin, alors que tout le poids du monde courbait son dos et qu'il s'apprêtait à sortir le drapeau blanc ?

Les discussions reprennent. Tandis que tous s'entendent ou se chamaillent sur des sujets frivoles, Thomas voit William qui s'approche. Sa gorge se serre.

— Hé ! se permet le jeune intellectuel en levant à peine la main.

— Hé.

William cache mal sa gêne, et son manque d'assurance amplifie les aspects loufoques de son apparence. Craignant que son ami vienne tout gâcher, Thomas se lève et se prépare à l'emmener rapidement ailleurs pour tout lui expliquer. Mais, au même moment, Dany, le frère du boxeur de secondaire trois, demande d'un air sournois :

— Vous êtes copains ?

Thomas regarde William, puis de nouveau Dany.

— Euh… oui.

— Pourquoi tu lui demandes pas de s'asseoir avec nous ?

Piégé, notre charmant héros n'a d'autre choix que de suivre le courant.

— Tu veux t'asseoir avec nous ?

— OK ! répond William avec un grand sourire de soulagement.

Thomas fait les présentations et se relaxe un peu. Peut-être Dany est-il sincère, peut-être la situation n'est-elle pas aussi précaire qu'elle semble l'être.

— Pis, qu'est-ce qui se passe de bon avec toi ? demande Dany à William.

Les filles observent la scène avec intérêt, mais ne savent pas trop quoi en penser.

— Euh… pas grand-chose.

— C'est un macaron de pokémon que t'as là ? Trop chaud !

Le sarcasme est lourd, mais William n'y voit que du feu.

— Mets-en ! répond-il avec un éclat additionnel derrière ses fonds de bouteilles. C'est Zebstrika, c'est un pokémon de type électrique. C'est mon type préféré, ça, le type élec…

Thomas le coupe aussitôt :

— Oui, oui, on le sait, t'aimes l'électricité au boutte. On trouve ça vraiment cool mais…

C'est au tour de Dany de l'interrompre :

— Minute ! On n'est pas au courant, nous. Pourquoi tu le laisses pas finir ?

Comprenant les intentions de son ami, un autre garçon embarque dans le jeu :

— Ouin, pourquoi tu le laisses pas nous parler de ce qu'il aime ? Ça te dérange quand l'attention est sur quelqu'un d'autre que toi ?

— Non… C'est juste que…

— Allez, mon Will, explique-nous ce que t'aimes tant avec l'électricité.

C'est ainsi que le pauvre garçon se lance dans une longue explication, inconscient des regards moqueurs que les adolescents échangent. Au bout de quelques minutes, Thomas en a assez et se lève brusquement.

— Bon ! Nous, on va y aller, on a des devoirs en retard.

— Hé ! proteste William. Je les ai tous finis, les miens, pis en plus on n'est même pas dans le même groupe, alors comment tu sais si j'ai des devoirs ou pas ?

Thomas le tire vers lui.

— Excusez mon… euh… mon ami. Il est fatigué.

— Oui, c'est ça ! répond Dany avec dérision. Un beau BEU-BYE, là !

Les filles leur envoient la main sans trop de conviction, sauf Annick qui regarde Thomas avec un air empathique. Ce dernier se permet un petit sourire gêné et quitte la cafétéria en traînant son compagnon avec lui. Au sous-sol, il s'arrête sec près des casiers et affronte William.

— T'as pas d'allure!

— Quoi? Qu'est-ce que j'ai fait?

— Tu réalises pas que tout le monde s'en tape, de tes histoires de pokémons?

— Pourquoi tu dis ça? Ils l'ont trouvé «trop chaud», mon macaron, pis c'est eux qui m'ont demandé d'en parler!

— Ils se foutent de ta tronche! Ils voulaient juste te laisser raconter tes stupidités pour mieux rire de toi! Tu comprends pas ça?

William baisse les yeux, confus. Trop furieux pour se rendre compte qu'il va trop loin, Thomas en rajoute:

— Va falloir que tu réalises qu'on n'est plus au primaire! Ici, c'est la jungle! Si toi t'as pas envie d'évoluer, moi oui!

Son ami le regarde de nouveau, la larme à l'œil.

— Ça veut dire quoi, ça?

— Ça veut dire que... peut-être qu'on devrait plus...

Heureusement, Thomas ne se sent pas le courage de terminer sa phrase.

— Ah, et puis laisse faire!

Il laisse William en plan et se dirige vers sa case. Celui-ci reste immobile quelques instants, digérant tant bien que mal les paroles blessantes de celui qu'il considère pourtant comme son meilleur ami. Au fond de son cœur, Thomas sait très bien ce qu'il vient de faire, mais la volonté de sauver sa réputation a pris le dessus sur sa conscience. Il préfère faire taire cette dernière et se concentrer sur son « nouveau statut ». *Il va comprendre*, se rassure-t-il en repensant au visage attristé de William. *Il va comprendre.*

SIX

De retour en classe, une fatigue considérable, causée en partie par le lot d'émotions de cette étrange journée, s'abat soudainement sur Thomas. Après quelques gribouillis dans son agenda, le garçon s'endort sur le pupitre au son du discours terne et ennuyeux de son professeur d'histoire. Ce dernier, qui ressemble tant à William qu'il pourrait être son père, partage avec son presque sosie la même incapacité à s'apercevoir du manque d'intérêt de son auditoire. Ce sont sans doute ces similitudes qui amènent Thomas à faire ce rêve :

Dans l'air glacial, les respirations profondes de Thomas s'échappent en vapeur. Il marche sur un long câble en tenant fermement sa perche. Porté par les cris d'encouragement de la foule, tout spécialement ceux d'Annick qui regarde la scène avec un mélange de crainte et d'admiration, il avance un pied à la fois vers une destination inconnue. Un brouillard dense s'étend à l'horizon et cache le paysage devant lui. Amplifiée par un mégaphone, une voix annonce qu'il se trouve tout près du but : il est à quelques mètres seulement du record Guinness. Alors qu'il s'apprête à franchir le court espace le séparant de la gloire, il aperçoit William qui, sorti de nulle part, avance d'un pas chancelant mais rapide sur un câble parallèle. Redoublant d'effort pour arriver le premier, Thomas ne remarque pas la glace qui s'est formée sur son câble, et son pied avant glisse. Tandis qu'il perd l'équilibre, sa perche accroche William au passage, et les deux garçons tombent simultanément dans le vide.

Son sursaut fait rire les élèves assis autour et attire l'attention du professeur.

— On peut faire quelque chose pour vous, monsieur Hardy ? demande l'homme avec une intonation tout à fait neutre.

— Non, c'est beau !

— Vous êtes certain ?

— Certain !

Les jeunes rient davantage.

— Est-ce que mon cours vous endort à ce point-là ?

— Non, monsieur Thibodeau, c'est pas votre cours.

— Ah bon ? Pourriez-vous nous dire de quoi il s'agit, alors ?

— C'est… c'est ma vie, répond Thomas avec une franchise qui déstabilise l'enseignant.

— Veillez à ce que votre vie inclue à l'avenir une écoute active pendant mon cours d'histoire. Est-ce que c'est clair pour vous ?

— Très clair.

Ragaillardi par sa courte sieste, Thomas réussit à garder les yeux ouverts pendant le reste de la période, mais son esprit divague.

Par chance, la journée se termine par un cours d'éducation physique. Voilà donc une bonne occasion, pour Thomas, de calmer ses angoisses en se débarrassant de toute la tension accumulée. Les élèves ont voté pour une partie de basketball, ce qui fait bien son affaire puisqu'il s'agit de son sport préféré. Le professeur commence par désigner deux chefs, un pour les garçons et l'autre pour les filles, puis ceux-ci choisissent tour à tour leurs coéquipiers. Tandis que les équipes se forment, le jeune Hardy regarde les autres garçons quitter le rang un par un pour rejoindre leur chef alors que lui reste planté là parmi les pires spécimens physiologiques. Jamais une telle chose ne s'est produite en six années de primaire ! Finalement, il est l'avant-dernier à être choisi et l'humiliation lui fait bouillir le sang. Il n'en faut pas plus à Thomas pour ignorer sa fatigue : il est temps de leur montrer ce qui se cache sous son petit capot!

Dès que la partie commence, il se faufile à toute vitesse entre les membres de l'équipe adverse et demande le ballon avec autorité. Son premier lancer pénètre le filet sans même toucher à l'anneau, injectant automatiquement au garçon une bonne dose de confiance. Il retourne aussitôt en défensive, collant son adversaire et suivant ses moindres gestes jusqu'à causer un revirement. Il saisit le ballon et le lance dans la même séquence de mouvements à un coéquipier qui s'est détaché du peloton. C'est déjà quatre à zéro en moins de trente secondes d'écoulées.

C'est pratiquement ainsi que se déroule le reste de la partie, avec Thomas qui réussit la moitié de ses nombreux lancers en plus de quelques passes. Au son final du sifflet, les jeunes s'arrêtent, épuisés, puis certains vont féliciter Thomas pour sa performance.

— Wow, mon gars, t'étais fou!

— Ouin, où t'as appris à jouer de même?

Tandis qu'il s'apprête à répondre, Thomas est soudain pris d'un malaise. Sa tête commence à tourner et il sent ses jambes se ramollir. Il s'agenouille par terre et tente de reprendre son souffle.

— *Yo*, ça va, mec?

— Monsieur Beaudry! Thomas se sent pas bien!

Le professeur accourt et se penche au-dessus du garçon.

— Relaxe, mon homme, prends des grandes inspirations. Relaxe. Antoine, va chercher ma bouteille d'eau sur le banc!

Antoine obtempère et le professeur reporte son attention vers Thomas. Il enlève sa veste de sport, la roule pour en faire un oreiller, puis fait étendre son élève. Les autres étudiants forment à présent un cercle autour d'eux et observent nerveusement ce qui se passe.

— Reculez-vous! Laissez passer l'air! Comment tu te sens, Thomas?

— Je sais pas trop…

Antoine revient avec la bouteille et la remet à l'enseignant.

— Tiens, bois un peu, dit ce dernier. Ça va te faire du bien.

Il aide d'abord Thomas à boire, mais celui-ci finit par empoigner la bouteille et en cale la moitié d'un seul coup. Quelques instants plus tard, il se sent assez fort pour se redresser et monsieur Beaudry l'emmène se reposer sur le banc.

— Est-ce que ça t'arrive souvent, de te sentir comme ça?

— Pas souvent, mais des fois. Quand j'ai trop forcé, genre.

— Est-ce que tu dors bien le soir ?

— D'habitude oui, mais des fois je m'endors tard.

— Quelque chose t'empêche de dormir ?

— Des fois oui, mais ça arrive que je regarde la télé jusqu'à tard.

— Et tes parents te le permettent ?

Thomas hésite.

— Disons qu'ils sont pas cent pour cent au courant.

Son professeur ne peut s'empêcher d'esquisser un sourire.

— Ah bon ! Et est-ce que tu manges bien pendant le jour ?

— La plupart du temps, mais…

Thomas pense à sa tirelire presque pleine, mais le souvenir désagréable de son malaise est trop récent et l'emporte sur l'argent.

— Pas le midi.

— Pas le midi ? Et pourquoi pas le midi ? Tu n'as pas de lunch ?

— Mes parents me donnent de l'argent pour manger à la cafétéria, mais souvent, je le garde pour autre chose.

— Pas pour des choses illégales, j'espère ? lui demande l'enseignant d'un ton sérieux.

Thomas le regarde avec consternation.

— Ben non, voyons !

— OK, je te crois. Écoute, Thomas, on n'a pas besoin de chercher plus loin. Tu es en pleine croissance, tu ne peux pas te permettre de sauter des repas, ce n'est vraiment pas bon pour toi. De bonnes nuits de sommeil aussi, c'est primordial.

— En pleine croissance ? Je suis le seul à ne pas avoir grandi depuis l'année dernière !

Monsieur Beaudry acquiesce en toute connaissance de cause.

— Si je te disais que j'étais pareil à ton âge, est-ce que tu me croirais ?

Thomas le scanne de la tête aux pieds. Cet homme mesure un mètre quatre-vingts et pèse près de deux cents livres, tout en muscles.

— Ben… c'est un peu difficile à croire.

— Pourtant, c'est vrai. De toute ma bande d'amis, j'ai été le dernier à atteindre la puberté. Je me suis fait niaiser à tour de bras. En fait, j'étais certain que je resterais toujours petit.

— Mais ça s'est pas passé comme ça…

— Pas vraiment, non. Quand je me suis mis à pousser, eh bien, j'ai poussé comme de la mauvaise herbe jusqu'à ce que je dépasse tout le monde. Pour ce qui est du reste…

Il montre fièrement ses biceps.

— … j'ai travaillé pour.

Thomas le regarde avec admiration.

— On fait un marché, toi et moi, poursuit le professeur. Je ne dirai rien pour l'argent de tes lunchs, ce qui est fait est fait. Mais tu vas me promettre de demander à tes parents de t'acheter une carte de repas. Ça coûte moins cher et, comme ça, on va s'assurer que tu manges comme il faut. Tu vas avoir plus d'énergie pendant le reste de la journée et ça va même t'aider sur le plan scolaire. Je veux que ce soit fait au plus tard la semaine prochaine. Pour ce qui est du sommeil, personne ne peut te forcer à dormir, mais crois-moi quand je te dis que ça aiderait beaucoup à ta croissance. La performance que tu viens de donner est vraiment impressionnante, tu as du talent à revendre et de la détermination en plus. Tu n'as pas envie de mettre toutes les chances de ton côté pour que ton corps se développe de manière optimale?

— Oui, j'aimerais ça.

— Alors, marché conclu! Là, j'ai un cours à donner, mais sache que je ne te laisserai pas tranquille tant que tu ne m'auras pas montré ton sérieux.

— Compris.

— En passant, tu as ma permission si tu veux rentrer tout de suite à la maison. Prends une bonne collation avant le souper et repose-toi comme il faut. Tu es certain que tu vas mieux?

— Comme neuf !

Thomas serre la main que lui tend son professeur, et le cours se poursuit sans lui.

Aussitôt chez lui, il se dirige vers le garde-manger et se prépare un vrai petit festin. Il se rend ensuite au salon et s'écrase confortablement devant la télévision où sont diffusés en rafales des épisodes des *Simpson*. Repu et complètement détendu, Thomas profite du calme de la maison vide. Ses paupières se ferment doucement, son ordinateur de bord coupe les moteurs, barre l'accès à son imaginaire et éteint définitivement les lumières : la sieste sera brève mais profonde.

SEPT

La première à rompre le silence est Diane, la mère de Thomas : la clé dans la serrure, les souliers à talons sur les carreaux de céramique, la lourde sacoche déposée sur la console ainsi que l'inévitable soupir de fin de journée. Tandis qu'elle passe devant la porte du salon, l'expression sur son visage révèle une autre de ses fréquentes migraines. Diane se rend immédiatement à la salle de bain sans même remarquer son fils qui l'observe en s'étirant paresseusement. Inaccessible, voilà le mot qui la définirait depuis quelque temps. Comme ni l'un ni l'autre de ses parents n'a l'habitude de partager ses problèmes personnels avec sa progéniture, il devient facile pour Thomas, avec ses frasques récentes, de s'imaginer qu'il en est plus ou moins responsable. Il faut dire que sa sensibilité tout comme son désir de plaire contribuent grandement à cette impression.

Normalement, Diane aurait, dès son arrivée à la maison, demandé à voix haute qui était déjà rentré. Elle serait aussitôt venue voir son fils et aurait engagé la conversation. Mais alors que le bruit de ses pas s'arrête dans la chambre principale et que la porte se referme derrière elle, c'est Thomas qui ressent tout à coup le besoin d'aller lui parler.

— Maman? lui demande-t-il, le front contre la porte.

— Oui, chéri?

— Est-ce que ça va?

— J'ai très mal à la tête.

— Est-ce que je peux faire quelque chose pour toi?

— Oui, apporte-moi un verre d'eau, s'il te plaît.

Thomas va rapidement chercher de l'eau et pénètre ensuite dans la chambre. Sa mère est étendue sur le lit et lui fait un sourire un peu contraint.

— Merci, mon grand. Tu es pas mal fin.

Le garçon en profite pour s'asseoir à ses côtés, son envie de parler étant trop pressante pour qu'il la laisse se reposer en paix.

— Je me suis fait de nouveaux amis aujourd'hui.

La voix de sa mère est douce et à peine audible:

— C'est bien ça, je suis contente pour toi.

— Ils sont en secondaire deux en plus! Il y en a pas beaucoup, des nouveaux qui se tiennent avec des plus vieux, vraiment pas beaucoup. Peut-être ceux qui ont des grands frères ou des grandes sœurs, mais sinon je dois être le seul!

Trop gentille pour faire taire son fils, Diane se contente de fermer les yeux en n'écoutant qu'à moitié.

— C'est bien.

— Mets-en! Pis ils me trouvent super drôle! J'ai passé toute l'heure du dîner avec eux à leur table.

— Ah oui?

Thomas se met à parler à toute vitesse:

— Oui, c'était trop le fun! On a beaucoup discuté, ben surtout eux parce qu'ils connaissent plein de choses. En plus, ils ont déjà eu les mêmes profs que moi, alors ils m'ont donné des trucs pour bien réussir dans leurs cours. Genre monsieur Thibodeau, il tripe vraiment sur le golf, alors si t'en discutes un peu avec lui, il se met à t'aimer et t'as des meilleures notes. Je sais pas grand-chose sur le golf, mais j'aurai juste à lire un peu là-dessus, pis faire semblant que je joue des fois avec papa, pis ça va *full* l'impressionner parce qu'il y a pas beaucoup de jeunes de mon âge qui pratiquent ce sport-là. Si on appelle ça un sport... parce que moi personnellement, je trouve ça un peu moumoune...

— Parle moins vite, mon grand, tu me fais penser à ton ami du camp préparatoire, celui qui parle beaucoup.

— William ? s'étonne Thomas.

— Oui, c'est ça.

— Hé !

— Chhhhh… pas si fort…

Thomas pousse un grognement sourd.

— En parlant de William, est-ce que lui aussi s'est joint à vous ce midi ?

— Euh… non ! Il aurait pas rapport dans notre gang !

Le sentiment de culpabilité de Thomas refait aussitôt surface.

— Ah, c'est dommage…

— Pourquoi ? demande-t-il en haussant le ton de nouveau. Juste parce que j'ai partagé une chambre avec deux morons pendant trois jours, je suis obligé de passer le restant de mon secondaire avec eux ?

— Moins fort, Thomas, je suis juste à côté de toi.

Le garçon poursuit malgré tout sa tirade, comme s'il voulait se convaincre lui-même qu'il a agi adéquatement :

— J'ai rien en commun avec eux ! C'est des petits bébés, ces gars-là, pis j'ai pas le goût de passer pour un bébé moi aussi ! Tu comprends pas ce que c'est, le secondaire. Tout le monde te juge tout le temps!

— Bon, comme tu n'es pas capable de baisser le ton pour ta pauvre mère, je vais te demander de me laisser toute seule. Allez!

Thomas abdique en soupirant et se lève brusquement.

— J'aimerais que tu ailles chercher ta sœur à la garderie. Tu veux bien?

— Ben oui! répond-il, un peu piqué.

Même s'il voit bien que sa mère éprouve un malaise, le garçon ne peut s'empêcher de se sentir un peu rejeté. Il a tant de choses à lui raconter et le soutien quasi inconditionnel qu'elle lui offre habituellement aurait certainement aidé à apaiser sa conscience. Mais bon, comment pourrait-elle comprendre ce qu'il vit, après tout? Son adolescence à elle est révolue depuis belle lurette, et les deux générations sont bien différentes, non? Thomas hausse les épaules devant son interlocuteur imaginaire et quitte la demeure.

Ce trajet, il l'a parcouru des milliers de fois. Il pourrait se rendre à son ancienne école les yeux bandés tant chaque mètre du parcours est gravé dans sa mémoire. Alors qu'il traverse le parc, des images de moments heureux défilent dans sa tête et le forcent à s'arrêter un moment. Le terrain de baseball lui rappelle non seulement ses propres accomplissements sportifs, mais aussi les parties mémorables de son frère qui s'étiraient jusqu'à la tombée de la nuit. Les cris enthousiastes des parents, l'air chaud et humide de l'été, l'odeur du maïs et les petites boissons sucrées servies à la fin de chaque partie. C'était à un âge pendant lequel il ne remettait rien en doute et se laissait tout simplement porter par le cours de sa vie.

Puis, il y a les estrades où il traînait souvent l'après-midi avec ses amis. La plupart des planches sont d'ailleurs recouvertes d'inscriptions et de dessins, faits au crayon ou gravés, qui se sont accumulés au fil du temps. Plusieurs sont les leurs : des paroles de chanson, des messages codés, des personnages de bande dessinée, des noms de couples faits et défaits dans la même journée ainsi que des proclamations d'amitié éternelle. Bref, il s'agit d'un véritable musée de graffitis qui retrace l'histoire des jeunes du quartier. En voyant le cœur gravé qui contient son nom et celui de sa première copine, Thomas se sent soudain l'âme nostalgique.

C'est dans ce parc qu'il a connu son premier baiser, à l'ombre d'un grand peuplier. La jeune fille, après une année entière d'efforts soutenus pour la conquérir, avait fini par succomber à son charme. Leur relation (qui n'a duré que deux semaines avant qu'elle n'en choisisse un autre) s'était cependant limitée à quelques rencontres sans artifices et n'avait jamais atteint l'intensité des rêves que son esprit romantique s'était fabriqués. Non, c'est plutôt le souvenir du désir, de l'attente et du rêve qui fait sourire Thomas en cette merveilleuse journée d'automne. Surtout que des sentiments similaires ont commencé à lui titiller le cœur depuis sa rencontre avec Annick. Bien que la charmante demoiselle ait déjà un copain, personne ne peut empêcher un garçon de rêver! Et de rêver, Thomas se le permet amplement pendant tout le reste du trajet.

C'est la première fois qu'il remet les pieds à son ancienne école depuis le milieu de l'été, lorsqu'il est venu y flâner avec sa meilleure amie. Ils ont passé ensemble la veille du jour où elle a déménagé et se sont rendus dans la cour d'école pour se remémorer leurs beaux moments. Le silence a créé un contraste étonnant avec leurs souvenirs, soulignant le passage du temps comme dans une ville fantôme abandonnée par ses habitants. Aujourd'hui, par contre, la cour grouille d'activité et les enfants s'amusent bruyamment avec les éducateurs du service de garde. Thomas n'a pas fait trois pas sur l'asphalte fraîchement refait que Jasmine l'appelle:

— Thomasnounet!

— Amène tes fesses, la fouine!

La jeune éducatrice de Jasmine remarque Thomas et s'avance vers lui, main dans la main avec sa sœur.

— Si c'est pas mon cher Thomas! Dis donc, t'as pas changé, toi! Toujours aussi beau bonhomme!

Notez ici que le «t'as pas changé» annule automatiquement le «toujours aussi beau bonhomme» dans l'esprit du garçon.

— J'essaie, se contente-t-il de répondre.

— Comment ça se passe pour toi, le secondaire? Est-ce que tu t'es fait une nouvelle blonde?

Ça fait trois semaines que l'école a commencé, pense aussitôt Thomas, *on se calme le pompon*.

Mais il répond docilement:

— Non, pas encore.

— Ça va venir, je suis pas inquiète pour toi.

— Yark, Thomas avec une blonde! s'exclame Jasmine d'un air dégoûté.

— Tu peux bien parler, toi, ma p'tite souris! réplique Magalie. Penses-tu que je te vois pas aller avec ton beau Marc-André?

Si Jasmine pouvait lancer des lasers avec ses yeux, elle le ferait. Elle lâche aussitôt la main de son éducatrice et prend le bras de Thomas.

— Viens, lui dit-elle d'un air snob, on va laisser la vilaine madame (de vingt-trois ans!) toute seule…

Magalie fait un clin d'œil à Thomas, et les deux Hardy quittent les lieux pour rentrer chez eux.

En chemin, Jasmine supplie son frère de s'arrêter dans le parc pour la pousser sur une balançoire.

— T'es capable toute seule, lui répond-il avec impatience.

— Non, mais toi t'es fort !

Décidément, la petite sait déjà comment parler aux garçons. Si Thomas a vu un avantage dans le fait de voir naître sa sœur, c'est bien de se sentir enfin supérieur à quelqu'un dans la maisonnée. Il accepte donc, au grand plaisir de Jasmine qui glousse de bonheur. *Elle est presque adorable*, songe-t-il en la regardant s'amuser. *Presque.*

— Plus haut ! Plus fort ! Plus haut !

Poussant de toutes ses forces, il l'imagine en train de décoller comme une fusée pour atteindre la stratosphère et sourit secrètement. Dire que lui-même s'amusait tellement autrefois avec ces balançoires, défiant ses amis de sauter en plein vol pour atterrir le plus loin possible. Il gagnait toujours, bien entendu, comme dans la plupart des épreuves physiques qui nécessitaient un peu de témérité. Retrouvera-t-il au secondaire ce genre de moments magiques qui, dans leur simplicité, le rendaient si heureux? C'est en repensant à sa nouvelle bande d'amis qu'il réalise que tous les espoirs lui sont maintenant permis.

— Yahou!... Hourra!... Yipi!

Les cris de Jasmine s'envolent. Dans quatre ans, ce sera à son tour de faire le grand saut. Peut-être pourra-t-il la guider pour que la transition se fasse plus facilement. Ce soudain et rare élan protecteur étonne le garçon.

— Bon, on y va! ordonne-t-il en immobilisant la balançoire.

Suit la crise habituelle de la petite princesse. *Bah!* pense Thomas en ignorant les protestations nasillardes de sa sœur. *Elle se débrouillera bien toute seule, en fin de compte...*

HUIT

Après le souper, Thomas termine ses devoirs et va rejoindre son père qui travaille dans son bureau. Celui-ci mâchouille un crayon à mine et semble très concentré sur ce qu'il fait.

— *Pops?*

Xavier se contente de marmonner des mots inaudibles.

— *POPS?*

— Hein?

— Je peux te déranger cinq minutes?

L'ingénieur hésite, partagé entre ses calculs complexes et son devoir de père.

— Cinq minutes? demande-t-il à son fils pour bien établir les paramètres de l'entente.

— Pas plus.

Xavier se lève, s'accote sur son bureau et se masse doucement le cou.

— Assieds-toi dans le fauteuil si tu veux.

Honoré, Thomas s'y précipite.

— Qu'est-ce que je peux faire pour toi?

— Ben, tu sais l'autre fois quand tu m'as dit que celui qui risque rien obtient rien dans la vie?

— Qui ne risque rien n'a rien!

— Ouin, ça. Tu voulais dire quoi, au juste?

— C'est pas compliqué, mon homme. La phrase dit tout: si tu n'es pas prêt parfois à prendre des risques, tu n'accompliras pas grand-chose.

— Mais mettons que je veux devenir cascadeur...

Xavier, un homme pourtant très brillant, tarde à établir le lien. Il regarde Thomas avec scepticisme.

— Je veux dire: si je deviens cascadeur et que je prends des risques, est-ce que j'aurai accompli quelque chose qui va te rendre fier?

— Tu veux devenir cascadeur?

— Oui, mais pas n'importe lequel, par exemple.

— Oh, il y a plusieurs sortes de cascadeurs?

— Moi, je serais spécialisé en records Guinness!

Xavier dépose ses lunettes sur le bureau et se frotte vigoureusement les yeux.

— OK... et c'est quoi, ta question?

— Est-ce que tu serais fier de moi comme t'es fier de Charles?

Son père sourit, un peu étonné.

— Est-ce que je t'ai déjà donné l'impression que j'étais moins fier de toi que de ton frère?

— Des fois…

— Vraiment ? Eh bien, tu te trompes, mon homme. Vous êtes tous les deux très différents, mais je ne vous ai jamais comparés. De toute façon, un fils qui suit mes traces, c'est assez. Ça rendrait ta mère folle d'entendre les trois hommes de sa vie lui parler tout le temps des mêmes choses !

Thomas jubile, comme si on venait de retirer un poids énorme de ses épaules.

— Alors, tu vas m'aider ? demande-t-il à son père.

— T'aider à quoi ?

— À atteindre mon but, c't'affaire !

Xavier ne peut masquer son manque flagrant d'enthousiasme.

— Tu vois ? poursuit Thomas. Tu crois pas en moi !

— Franchement, c'est pas ça. C'est juste que…

— C'est juste que quoi ?

— Terre à Thomas ! Terre à Thomas ! Cascadeur… records Guinness… Moi aussi, à ton âge, j'ai voulu faire plein de métiers farfelus. Acteur, star de rock, pilote de course, nomme-les ! Ce sont des phases qui finissent par passer. Ah, et puis je voulais être millionnaire aussi, imagine !

— Oui, mais moi je suis sérieux !

— Peut-être bien, mais quand même…

— C'est beau, j'ai compris !

Le garçon bondit de son siège et se dirige vers la porte à pas lourds.

— Thomas ! Ne te fâche pas… Reviens donc ici qu'on en discute…

Trop tard, son fils ne veut plus rien entendre.

Dans la soirée, alors que Thomas broie du noir seul dans sa chambre, une main cogne doucement à sa porte.

— Sésame, ouvre-toi ! commande Xavier avec une grosse voix grave. Sésame, ouvre-toi !

— T'es même pas drôle…

Xavier entre dans la pièce, déterminé à clarifier ses propos précédents.

— Bon, tu arrêtes de bouder ?

— Je boude pas !

— Me semble, oui, avec tes p'tits sourcils sévères…

— Est-ce que t'es venu ici juste pour m'achaler ? Parce que si c'est le cas, tu peux retourner travailler. J'ai d'autres choses à faire de plus important.

— Comme fixer le mur ?

Thomas regarde son père et fait une horrible grimace.

— Bon, là je te reconnais ! Je peux m'asseoir ?

Le garçon hausse les épaules.

— Tu dis que je ne crois pas en toi, mais c'est faux.

— Pourquoi tu me prends pas au sérieux, alors?

— C'est pas ça... Honnêtement, je n'y connais rien, au métier de cascadeur. Mais bon, on sait qu'il y en a, puisqu'ils en utilisent souvent dans les films.

— Pas juste dans les films!

— Je sais, je sais, je ne suis pas né de la dernière pluie. Dans mon temps, c'était Evel Knievel, une vraie légende. Il faisait des sauts en moto, par-dessus des autobus et tout...

— Moi aussi j'aimerais ça, devenir une légende.

— On aimerait tous ça, mais c'est plutôt rare, tu sais, et c'est jamais aussi beau qu'on nous le présente à la télévision.

— Comment ça?

— Prends Evel, par exemple. Eh bien, laisse-moi te dire qu'il a payé cher son succès: en plus de passer près de mourir plusieurs fois, il a eu des douleurs chroniques pour tout le reste de sa vie! Comprends-tu pourquoi, en tant que père, ce n'est pas nécessairement la voie que j'ai envie de voir mon fils prendre?

— Oui, mais moi, ça va être différent.

— Bon, regarde, ni moi ni ta mère on va t'empêcher de faire quoi que ce soit quand tu vas être un adulte, OK ? Mais, pour l'instant, tu as juste douze ans…

— Bientôt treize ! l'interrompt Thomas.

— Au mois d'avril ! Et puis tu viens à peine de commencer le secondaire. Tu as encore bien des croûtes à manger avant de même PENSER à devenir cascadeur, encore moins un cascadeur qui fait des records Guinness, comme tu dis.

L'expression de son fils redevient sévère.

— Je n'ai pas dit que tu n'en seras pas capable ! Juste que là, il est trop tôt pour qu'on en parle sérieusement. Tu ne peux pas me demander de sauter de joie juste parce que tu as eu une idée sur ce que tu veux faire plus tard. Si jamais ta passion continue à se développer au fil du temps, eh bien, là, on pourra examiner les possibilités qui s'offrent à toi, OK ? Une étape à la fois, s'il te plaît.

— Une étape à la fois, répète Thomas tout bas pour lui-même.

Xavier aperçoit son livre sur la table de chevet.

— En attendant, je vois que tu m'as pris quelque chose dans ma bibliothèque.

— Oh… euh… oui. Tu m'avais dit de lire, alors j'ai lu.

— C'est très bien ! C'est ça qui t'a donné ton idée de carrière ?

— Oui, entre autres.

— Tu sais qu'on a quelqu'un dans la famille qui a déjà établi un record Guinness ?

Les yeux de Thomas s'ouvrent grand.

— Je sais pas si le record tient encore, mais ça avait créé tout un remous à l'époque.

— Qui ça ? Qui ?

— Un de mes oncles qui vit à Farnham, Claude. Je ne crois pas que tu l'aies déjà rencontré.

— C'est quoi, son record ?

— Oh, rien de trop impressionnant pour toi, je suppose. Il avait fait pousser la plus grosse citrouille du monde. Ça fait un peu plate, je sais, mais si tu avais vu la grosseur de cette chose-là, tu serais tombé par terre ! En fait, je pense bien que tu aurais pu te creuser une cabane à l'intérieur.

— Wow ! Pour vrai, dans notre famille ?

— Oui ! Un des frères de grand-maman Antoinette.

— Est-ce qu'il est toujours vivant ?

— Sûrement, je l'aurais appris s'il était décédé. Il n'est pas jeune-jeune, mais si mon souvenir est bon, c'était un monsieur assez solide. Tu aimerais ça, le rencontrer ?

— C'est sûr !

— Je verrai ce que je peux faire. On pourrait peut-être lui rendre visite un de ces quatre…

— Genre en fin de semaine ?

— On se calme ! J'ai dit « un de ces quatre »,
pas « après-demain » !

— Ouin, j'oubliais que t'es toujours occupé…

— Bon, d'autres plaintes à formuler au dé-
partement parental ?

— Non, c'est la seule.

— Excellent. Parlant de Guinness, je vais
m'en servir une fraîche avant de regarder les
nouvelles. Ne t'endors pas trop tard, monsieur
le cascadeur. Tu vas avoir besoin de toutes tes
forces pour devenir une légende.

— Je sais, je l'ai déjà eu, ce discours.

— Ah bon ? De la part de qui ?

— Mon prof d'éduc.

— Coudonc, es-tu en train de me trouver un
remplaçant ?

— Peut-être, répond Thomas à la blague.

— Hahaha ! Mon p'tit maudit !

Xavier serre affectueusement son fils contre
lui et quitte la chambre.

En l'espace de quelques minutes, voilà que
l'humeur de Thomas a fait volte-face. Il réalise
non seulement que son père est derrière lui, mais
qu'il possède vraisemblablement des gènes de
détenteur de record Guinness (si un tel concept
existe ailleurs que dans sa tête). Il s'imagine alors
qu'un sang spécial coule dans ses veines, un sang
magique qui renferme le secret d'une grande

destinée. Écartez-vous, pauvres mortels! Voici Thomas Hardy, l'être élu, choisi parmi tous pour accomplir des choses extraordinaires qui passeront à l'histoire pour inspirer les générations futures! Il sent les poils de ses bras se hérisser. Ne manque plus qu'un sabre laser ou une baguette de magicien…

NEUF

C'est bien le premier matin depuis le début de l'année scolaire que Thomas se lève avec entrain. Peut-être cette nouvelle énergie est-elle due au soleil radieux qui inonde la maison de lumière ou encore à la longue nuit de sommeil ininterrompu qu'il vient de passer. Les plus romantiques diront que ce sont plutôt les images d'Annick, la fille aux yeux perçants, qui soufflent du vent dans ses ailes. En réalité, toutes ces raisons sont bonnes et notre jeune rêveur entreprend son parcours quotidien d'un pas sautillant. Aujourd'hui, vieillir ne lui semble pas si mal, même qu'il commence à y prendre goût. Si au moins son corps pouvait suivre cet élan et pousser d'un seul coup !

En approchant de l'entrée des étudiants, Thomas croise les doigts pour y retrouver Annick. Il compte d'ailleurs la bousculer de nouveau (en blague, bien sûr) pour relancer la discussion. Comme elle ne s'y trouve point, il n'a d'autre choix que de patienter jusqu'à midi pour la revoir : chose qui serait facile si ce n'était du sinistre combo mathématiques-anglais qui le sépare de cet heureux moment.

Arrivé à la case qu'il partage avec William, il constate que tous les objets appartenant à ce dernier ont disparu. Il ne reste qu'une petite note sur laquelle est écrit : *T'en fais pas, j'ai compris.* Un frisson lui traverse le corps mais, rapidement, son côté rationnel reprend le dessus.

— Bon, un problème de réglé ! se dit-il finalement tout haut en mettant ses manuels scolaires dans son sac.

Le cours de mathématiques est de la pure torture. Monsieur Meunier a une voix aussi monotone que celle du professeur d'histoire, mais si ce dernier peut parfois se racheter avec des sujets intéressants, le pauvre monsieur Meunier ne dispose que d'équations compliquées pour attirer l'attention des élèves, ce qui le handicape lourdement. Dire que c'est la matière favorite de certains ! Dans ce cours, Thomas est obligé d'écouter et doit constamment rappeler à l'ordre son esprit volage : prendre du retard dans cette matière qu'il déteste signerait pratiquement son arrêt de mort scolaire (il a d'ailleurs tenté d'étudier à la dernière minute pour le premier examen, et le résultat a été catastrophique). Cependant et malgré ses efforts pour rester concentré, Thomas est plus contrarié qu'il ne veut l'admettre par le message de William. Il est extrêmement surpris, en fait, de la réaction de ce garçon qu'il croyait dépourvu d'orgueil. Devront-ils maintenant s'ignorer comme s'ils ne s'étaient jamais rencontrés ?

— Connaissez-vous la réponse, monsieur Hardy ?

— De quoi ? répond Thomas en revenant sur terre.

— Du problème inscrit au tableau.

Thomas cherche l'équation en question, mais le tableau en contient une douzaine.

— Celui que je viens d'inscrire, avec de la craie, sur fond noir.

Le garçon cherche toujours.

— En bas à droite, poursuit l'enseignant.

— Oh ! Lui !

Thomas plisse les yeux et se creuse les méninges.

— Hmm… seize ?

— Seize serait peut-être la bonne réponse…

— Peut-être ?

— Oui, s'il s'agissait d'un problème complètement différent.

Plutôt comique, celui-là, pense Thomas en réévaluant le caractère de son enseignant.

C'est du moins ce que les nombreux rires semblent confirmer. Le reste du cours se déroule sans anicroche, et Thomas se reprend en donnant quelques bonnes réponses.

Le cours d'anglais, quant à lui, paraît interminable. Le nom de Thomas vient d'être pigé au hasard et il doit de nouveau s'humilier devant toute la classe.

— *Hi, my name is Thomas and… yeah.*

— *Can you tell us about what you like to do in your spare time?* lui demande miss Porter avec son éternel sourire.

— *What « spare time » means?*

— *What DOES « spare time » MEAN?* le corrige-t-elle.

— *Yes.*

— *It means* « temps libre ».

— *Oh, I like play video games,* réussit-il à formuler.

— *TO play, TO. Anything else you enjoy?*

— *I like TO play basketball.*

— *Very good! Can you tell us why?*

— Euh… *because it's a big fun!*

— *« It's VERY fun » would be more appropriate. Can you be a little bit more specific?*

— Spécifique?

Elle acquiesce avec satisfaction.

— Euh… *not really.*

— *All right then, you can go back to your place.*

— *Yay!*

Thomas retourne donc s'asseoir à son pupitre la tête basse. Le suspense de l'attente maintenant derrière lui, il peut enfin relaxer en regardant d'autres élèves malchanceux faire des idiots d'eux-mêmes. Pas si pire, finalement, le cours d'anglais ! Comme la plupart des jeunes ont le même problème d'élocution que lui, il existe dans ce cours un aspect étrangement rassembleur : tout le monde se retrouve dans le même panier ! Thomas se demande d'ailleurs pourquoi il ne s'est pas encore fait d'amis véritables dans sa classe. Il y a bien eu quelques tentatives lors de travaux d'équipe, mais au bout du compte, la magie n'a pas opéré. Il a cette fameuse tendance, aussi, à toujours attendre que les autres viennent vers lui les premiers.

Heureusement, le dernier cours avant le dîner est celui d'arts plastiques. Le projet en cours est un énorme dessin au fusain sur lequel Thomas travaille assidûment. Il est si absorbé, en fait, qu'il n'entend même pas les nombreux commentaires admiratifs que lui lancent certains concernant ses talents d'artiste (commentaires qui, de toute façon, auraient peu d'effet, puisqu'il n'est lui-même jamais satisfait). Il ne remarque pas non plus le regard langoureux de la minuscule Sophie Hamel qui peine à se concentrer sur sa propre œuvre, tellement Thomas l'impressionne.

Il fut un temps où Thomas nourrissait des aspirations quant à son don de dessinateur, mais après quelques concours organisés par son ancienne école où il a vu de véritables gribouillis lui voler les honneurs, il s'est découragé. Il se souvient encore de celui qu'avait organisé le poste de police et dont le premier prix était une journée entière passée avec des agents à patrouiller dans la ville. Il s'était particulièrement appliqué à la tâche, produisant un des plus beaux dessins de sa vie. Inutile de décrire sa déception quand, quelques longues semaines d'attente plus tard, il avait enfin vu l'œuvre choisie : deux bonshommes allumettes, représentant un enfant et un policier debout devant une voiture de service (qui avait l'air en fait d'une boîte à savon), sur un fond à peine colorié. *Plus jamais !* s'était-il dit alors.

Lorsque la mélodie du bonheur (un surnom affectueusement donné à la cloche du midi) se fait entendre, Thomas bondit de sa chaise.

— Tu ne l'emmènes pas chez toi ? lui demande son enseignante.

— Non, j'en veux pas.

— Il est très bien réussi, pourtant. Tu pourrais peut-être au moins l'offrir à quelqu'un ?

Thomas s'arrête et hésite un instant.

— OK, je vous le donne !

— Non, je voulais dire…

Il quitte le local en vitesse sans que madame Sylvie puisse terminer sa phrase. Tandis que l'enseignante contemple le dessin, la petite Sophie lui demande d'une voix timide :

— Est-ce que, moi, je peux l'avoir ?

— Bien sûr, ma belle.

Madame Sylvie remarque aussitôt l'enthousiasme de la jeune fille qui roule fièrement l'œuvre. Un garçon ressemblant à Thomas y figure : assis sur une colline, il regarde les étoiles en compagnie d'un ours immense.

— Je lui ai demandé si son dessin avait une signification particulière, confie alors l'enseignante à Sophie, et tu sais ce qu'il m'a répondu ?

— Non.

— Il m'a dit que c'est un ours que sa marraine lui a donné il y a plusieurs années.

— Pourquoi il est si gros ?

— Parce qu'il a l'impression que ses anciens amis ont grandi sans lui…

Thomas n'a pas encore reçu sa carte de dîner, mais les conseils de monsieur Beaudry ne sont pas entrés dans l'oreille d'un sourd. Cette fois-ci, son cabaret est rempli et les quatre groupes alimentaires y sont représentés. Fini la privation, l'optimisation de sa croissance débute maintenant ! Il se voit déjà en train de marcher dans les corridors, ses énormes muscles bien en valeur, saluant ses camarades du haut de ses six pieds. *Oh, vraiment ? Avec plaisir !* Flexion des pectoraux. *Vous m'en voyez ravi, très chère.* Flexion des biceps.

Lorsque Thomas arrive à la table des deuxième secondaire, l'accueil est mitigé. Annick, pour sa part, est très heureuse de voir son nouvel ami, et toutes les autres filles lui sourient poliment. Par contre, les garçons restent plutôt froids à son égard et le regardent s'asseoir d'un air douteux. C'est comme si, pour eux, la blague s'étirait inutilement et ils ne comprennent pas trop ce que le jeunot fait là. Plutôt perspicace, Thomas sent tout ça mais n'a plus vraiment d'autre choix que de rester. Où irait-il s'asseoir de toute façon, maintenant qu'il s'est affranchi de William et de Karl ? Il s'arrange donc pour prendre le moins de place possible et vise stratégiquement les meilleurs moments pour glisser ses commentaires.

— Quoi ?! Monsieur Sigouin a une perruque ?! s'exclame une des filles.

— Je te jure ! répond Dany. L'autre fois, il fumait une cigarette devant l'entrée principale, pis il y a eu un coup de vent. Sa moumoute a levé sur un côté. C'était trop tordant !

— Et il sait que tu l'as vu ? lui demande Thomas.

Chaque fois que ce dernier ouvre la bouche, Dany le regarde avec une sorte de mépris. Mais comme la question est en rapport avec l'histoire qu'il raconte, il daigne cette fois-ci lui répondre normalement :

— Trop ! Il est mieux de pas m'écœurer parce que j'ai une arme contre lui !

Remarquant l'effet positif de sa question, Thomas continue :

— Qu'est-ce que tu ferais ?

— Je lui enlèverais l'écureuil mort qu'il a sur la tête devant tout le monde ! affirme Dany en bombant le torse.

Voyant les deux autres garçons se bidonner, Thomas les imite, même s'il n'en croit pas un mot. Il n'est pas le seul d'ailleurs, car Annick réplique aussitôt :

— Ben non, tu ferais pas ça, pauvre nouille ! Gros parleur, p'tit faiseur !

— Toi, la ferme, c'est pas parce que tu sors avec mon frère que tu peux me parler de même !

— Arrête ! Tu te penses *tough,* mais t'as encore plein de nounours sur ton lit !

Tout le monde rit maintenant aux larmes, sauf Thomas qui résiste tant bien que mal. C'est plutôt une bonne idée, puisqu'il est le premier que Dany regarde.

— Ta gueule ! répond celui-ci à Annick en la foudroyant des yeux.

À ce stade, Thomas aimerait intervenir, mais il garde sagement le silence.

— Oh, attention les gros mots ! poursuit la demoiselle, le provoquant avec un plaisir palpable.

Elle lui fait ensuite une grimace qui contraste tellement avec sa beauté que Thomas ne peut pas s'empêcher de sourire. Pompé à bloc, Dany vient de trouver son bouc émissaire.

— Tu trouves ça drôle, ti-cul ?

— Euh… non ! répond Thomas en avalant sa salive.

— Enlève ton p'tit sourire de ta face avant que, moi, je le fasse.

Inexplicablement, la première chose à sortir de la bouche de Thomas est ceci :

— On dirait que tu rapes.

— De quoi tu parles ?

— Ta face… je le fasse… *yo.* Ça rime.

Pendant un instant, c'est le silence total. Puis les jeunes s'esclaffent de nouveau avec encore plus d'abandon. Dany se lève et colle doucement son poing contre le visage de Thomas.

— T'es mort, mon gars, mort !

Il quitte ensuite la table et se dirige vers la sortie. Ses deux amis cessent aussitôt de rire et se lancent à sa poursuite comme des chiens de poche. Affolé, Thomas attend qu'ils disparaissent pour se retourner vers les filles, les yeux grands comme des prunes.

— T'inquiète pas, le rassure Annick. Il fera rien, je le connais.

Autant Thomas désire la croire, autant il a un étrange pressentiment : les choses sont sur le point de s'envenimer. *Heureusement qu'on est vendredi*, pense-t-il alors, *peut-être que la longue fin de semaine va leur faire oublier cette histoire.* Tandis que les filles changent rapidement de sujet de conversation, Thomas tente de penser à autre chose, mais en vain. Il sent une boule dans sa poitrine, et son sourire est de façade. Quelque chose lui dit qu'il lui faudra quitter le collège en douce cet après-midi…

DIX

Bien que la dernière cloche de la journée soit normalement une mélodie encore plus exquise que celle du midi, elle sonne aujourd'hui tout autrement à l'oreille de Thomas : il vient de passer les deux dernières périodes à imaginer le guet-apens qui l'attend et son anxiété est à son comble. « T'es mort ! » entend-il encore Dany le menacer. Il a beau se répéter les paroles rassurantes d'Annick, il est persuadé qu'un affrontement est inévitable s'il ne choisit pas la bonne porte de sortie. Sa dernière bagarre, où les deux adversaires se sont contentés de se pousser en se criant des injures, remonte au primaire. Mais n'est-il pas à présent dans la cour des grands, où les conflits se règlent à coups de poing comme dans les films ? Il peut d'ailleurs encore sentir celui de Dany contre sa joue, tremblant d'intensité.

Tandis qu'il ramasse ses affaires, Thomas se dit qu'il devrait peut-être en parler à madame Marquette, qui corrige encore des copies à son bureau. Cependant, deux considérations l'en empêchent. Premièrement, il pourrait porter un dur coup à sa réputation en passant pour un lâche. Deuxièmement, si Annick a raison et que Dany est bel et bien inoffensif, il risque de sonner l'alarme pour rien et d'attiser davantage sa colère, car l'adolescent n'appréciera guère d'avoir l'attention sur lui. Thomas choisit donc de se débrouiller seul et quitte le local. En chemin vers les casiers, il prend soin de voir loin et large pour éviter toute rencontre désagréable.

Même s'il est interdit aux élèves d'utiliser l'entrée principale, le garçon décide de faire fi du règlement. Il s'assure qu'aucun professeur ou surveillant ne le regarde, puis sort furtivement. Au lieu d'emprunter le chemin qui mène à l'arrêt d'autobus, il traverse le boulevard pour marcher de l'autre côté, le terre-plein clôturé devenant ainsi un bouclier sécurisant. Ne voyant Dany nulle part, Thomas baisse enfin sa garde et place ses écouteurs sur ses oreilles. Après à peine quelques pas faits au son de la musique, il sent une main se poser sur son épaule. Il sursaute et se retourne aussitôt, son rythme cardiaque décuplé.

— Je t'ai fait peur? lui demande Annick, un sourire fendu jusqu'aux oreilles.

Thomas enlève ses écouteurs et tente de dissimuler sa nervosité.

— Pas du tout.

— Me semble, oui! On dirait que t'as vu un fantôme. Tu t'en retournes chez toi?

— Oui, mon arrêt est au coin là-bas.

— Moi, j'habite dans un des blocs-appartements près de la rivière.

— Ici, juste en arrière?

— Oui.

— Cool! On les voit du pont. Ça doit être trop pratique d'être à cinq minutes de l'école…

— Pratique peut-être, mais on dirait que c'est plus difficile d'être à l'heure quand c'est juste à côté. J'étire toujours mon temps jusqu'à la dernière minute!

— Moi, ça prend presque une demi-heure, me rendre.

— Il y avait pas un collège plus proche de chez vous?

— Oui, mais c'est une longue histoire.

— C'est pas grave, j'ai le temps. Est-ce que ça te tente de me raconter tout ça en marchant vers la rivière? Je connais un endroit vraiment beau!

Thomas n'en croit pas ses oreilles.

— Allez, dis oui! insiste Annick.

— Euh… OK.

Mais qu'est-ce qu'elle peut bien me trouver? pense-t-il aussitôt en la voyant si enjouée.

— Par là! lui indique l'adolescente en montrant un raccourci.

L'étrange duo se dirige vers le cours d'eau, Annick écoutant attentivement les explications de son nouvel ami. Lorsqu'ils arrivent à destination, ils profitent du silence soudain pour admirer le paysage. L'eau mouvementée reflète vivement le soleil, et le vert éclatant des arbres garde ses airs d'été. Tout près, une cane et ses petits longent tranquillement la rive tandis qu'un groupe d'outardes pressées de quitter la province passe juste au-dessus de leurs têtes. Thomas prend une grande inspiration, grimace et tourne son regard vers Annick.

— T'avais raison, c'est vraiment beau ici. Dommage que ça sente le poisson mort.

— Ouin, je sais. C'est pas la campagne, mais c'est mieux que rien. Tu connais Sainte-Agathe?

— Dans les Laurentides?

— Oui, genre à une heure et quart de Montréal. J'habitais là avant. Mais quand mes parents se sont séparés, ma mère et moi, on est venues habiter ici.

— Méchant changement! Ça te tentait pas de rester là-bas avec ton père?

— On s'entend pas très bien, lui et moi. De toute façon, je tournais en rond là-bas. À regarder aller les ados dans mon coin, j'ai vite compris que je manquerais pas grand-chose. Ici, c'est mieux, c'est plus stimulant.

— Justement, t'as l'air plutôt mature pour ton âge.

— Tu trouves? lui demande Annick avec un regard étrangement mélancolique.

— Oui. Pis c'est pour ça que je trouve bizarre que… que tu t'intéresses à moi.

— Hahaha! Fais-toi pas des idées, je suis déjà prise!

— Je sais, mais c'est pas dans ce sens-là. Juste que tu veuilles qu'on se parle, que tu m'invites à la table même si je suis plus jeune… je comprends pas pourquoi. Surtout que t'es… euh … disons très belle.

Annick est étonnée du compliment, ou plutôt de la franchise du garçon qui lui fait face.

— Que je sois belle a rien à voir là-dedans.

— Non, mais ta popularité…

— Tu veux que je te dise ce qui m'a frappée chez toi? l'interrompt la jeune fille.

Thomas acquiesce.

— Tu ressembles comme deux gouttes d'eau à mon meilleur ami d'enfance.

— Ah oui?

— Pis… il y a tes yeux aussi…

La manière dont Annick le regarde lui fait exploser le cœur. Comme si elle s'en était rendu compte, elle change rapidement de sujet.

— T'aimes les chats?

— Je sais pas, j'en ai jamais eu.

— T'as pas d'animaux à la maison?

— Non, mes parents sont pas des fans. J'ai eu un hamster un moment donné mais… disons que l'expérience a été plutôt décevante.

— Comment ça?

— Ben, il mordait, pis il aimait pas qu'on le prenne.

— T'es tombé sur le mauvais, ça peut être vraiment le fun, un hamster. Il est mort ou tu t'en es débarrassé?

— Il a eu un accident… d'aspirateur.

— Honnnn, pauvre p'tite bête!

— Je l'ai enterré dans ma cour, pis j'ai mis une croix en bâtons de Popsicle avec son nom écrit dessus.

— *Cuuuute!*

— Ouin, je l'aimais pas vraiment, mais je me suis dit que c'était la moindre des choses. Je l'ai déterré l'année d'après pour voir ce qui en restait…

— Et?

— Bof, pas grand-chose. Mais pourquoi tu voulais savoir si j'aime les chats?

— Ah oui! C'est parce qu'il y a une chatte abandonnée qui a eu une portée récemment, juste en bas de mon bloc. Ma mère et moi, on lui a construit une p'tite cabane sur mon balcon pour que personne ne la dérange. Tu veux les voir?

— C'est sûr!

— Cool, viens!

Tandis qu'ils montent l'escalier en colimaçon qui mène à l'appartement de sa nouvelle amie, Thomas fait une merveilleuse constatation: jamais il n'a senti dans sa courte existence une complicité aussi naturelle et automatique avec quelqu'un. Et par chance, ce quelqu'un s'avère être une personne aussi jolie à l'intérieur qu'à l'extérieur.

Sur le balcon, la scène est extrêmement attendrissante. Comme la maman est partie faire on ne sait quoi, les minuscules chatons se réveillent en entendant leurs visiteurs arriver et sortent tous la tête de la boîte pour les étudier. Il y en a sept au total, de toutes les couleurs, et chacun possède un petit quelque chose qui le distingue des autres.

— Wow, ils sont trop mignons! s'exclame Thomas.

— Avoue, hein?

— Je vois souvent des vidéos de bébés animaux sur Internet, mais là, c'est en direct!

— Tu peux les prendre dans tes mains si tu veux.

— Si la maman arrive, je fais quoi?

— Oh, ça la dérange pas, elle est vraiment douce.

En s'approchant de la boîte, Thomas remarque un huitième chaton plus chétif que les autres qui l'observe sans bouger.

— Qu'est-ce qu'il a au visage, celui-là? demande Thomas en le pointant du doigt.

— Il a une malformation à la mâchoire. Ma mère dit qu'il ne survivra probablement pas.

Thomas étire le bras et prend l'animal d'une seule main. Le petit mâle, malgré son aspect un peu étrange, reste tout de même plutôt beau aux yeux du garçon. Sans que ce dernier s'en aperçoive, Annick le regarde avec tendresse.

— Je sais pas pourquoi, mais je savais que tu l'aimerais.

Thomas se contente de sourire en frottant doucement son nez contre le museau du chaton.

— Je veux l'adopter, affirme-t-il avec détermination.

— Tu penses que tes parents vont vouloir?

— Je sais pas, mais je vais tout faire pour les convaincre.

— Ça serait trop chouette!

Soudain, un cri retentit.

— Annick! s'époumone un adolescent en bas sur le gazon.

— Merde, c'est mon chum !

Thomas s'empresse de déposer le chaton sur la couverture et regarde en bas. Dany s'est pointé en compagnie de son grand frère Marco, et leurs regards n'inspirent rien de très réjouissant.

— Restez là ! leur ordonne Annick. On descend !

— T'es certaine que c'est une bonne idée ? lui demande Thomas avec nervosité.

— J'ai pas la clé d'en arrière, on n'a pas vraiment le choix. De toute façon, je veux pas d'engueulade devant les chatons, ça pourrait les traumatiser.

— Oh, parce qu'il va y avoir une engueulade ?

Annick le regarde comme pour dire « Qu'est-ce que t'en penses ? » Ils descendent donc pour affronter les deux frères.

— Qu'est-ce que vous faites ? lui demande Marco en regardant Thomas d'un air menaçant.

Dany le regarde avec le même air, mais reste derrière son frère sans dire un mot. Annick se dépêche de répondre :

— Je voulais juste lui montrer les chatons. Il m'a dit qu'il serait peut-être intéressé à en prendre un, alors…

— C'est tout ?

— Oui, oui, il est juste venu les voir, pis il s'en allait. Hein, Thomas ? Tu t'en allais ?

— Oui ! Le dernier autobus passe bientôt, il faut que j'y aille.

Annick dépose un baiser sur la joue de Marco pour le rassurer et envoie la main à Thomas.

— Tu me diras si tes parents sont d'accord, OK ?

— OK, bonne fin de semaine, tout le monde ! s'empresse de lancer Thomas avant de déguerpir.

— Thomas, c'est ça ? lui demande Marco avec un sourire forcé trahissant son irritation.

— Oui, c'est ça ! dit aussitôt Annick en le tirant par le bras pour l'emmener.

— Il faut que j'y aille, bébé, j'ai une partie de football avec les chums. Dany t'a vue partir avec lui, alors j'ai juste voulu m'assurer que tout était correct, tu comprends ?

— Je comprends, répond-elle en lui faisant la bise de nouveau.

— Nous, on va marcher avec Thomas, poursuit Marco. C'est correct avec toi, mon Thomas ?

Thomas n'est pas dupe, il le voit vite venir avec ses faux airs amicaux. Il accepte malgré tout, ne trouvant aucune excuse valable pour refuser. Question d'orgueil, aussi, car il ne faut surtout pas sous-estimer l'orgueil de Thomas Hardy.

ONZE

Dès que l'immeuble d'Annick est hors de vue, la nervosité de Thomas monte en flèche. Il marche coincé entre les deux adolescents avec cette désagréable impression que l'étau se resserre graduellement. Comme personne ne parle, la tension est palpable et, pendant un instant, le garçon envisage sérieusement de prendre ses jambes à son cou. Mais, une fois à l'abri des curieux, Marco casse le silence d'une voix sévère :

— On s'arrête ici.

— Toi aussi, Thomas, ordonne Dany en le voyant poursuivre son chemin.

— Pourquoi ?

— Pour se jaser ça un peu, lui répond Marco.

— J'ai pas vraiment le temps, il faut que je rentre.

— C'est moi qui décide si t'as le temps, *capich* ?

— Qu'est-ce que vous voulez ?

— Ferme ta gueule !

L'adrénaline inonde les veines de Thomas. Si sa poitrine n'était pas aussi solidement fermée, son cœur la quitterait en courant. Pour éviter que Thomas ne s'enfuie, Dany se place derrière lui, le forçant par la même occasion à quitter Marco des yeux. Un coup de pied bien placé de la part de ce dernier, sur le côté du genou, fait chuter Thomas instantanément.

— T'aimes te foutre de la gueule de mon frère devant tout le monde, il paraît?

— Pas pantoute! C'était juste des blagues, c'est lui qui se frustre pour rien!

— Ferme ta trappe, on veut pas t'entendre! s'écrie Dany en s'approchant de sa victime.

C'est dans un mélange de colère et de peur que Thomas proteste:

— Coudonc, c'est rendu à la mode de poser des questions sans vouloir de réponse?

Dany le pousse par terre.

— Je veux plus te voir à notre table! T'es laid, pis t'as pas rapport!

— Pis que je te pogne pas à parler à ma blonde! ajoute son grand frère. Je veux même pas que tu la regardes! Compris?

Thomas tente de nouveau de se relever et, alors que Dany s'apprête à le renvoyer au sol, il s'accroche à son bras et l'entraîne avec lui dans sa chute. Suit une brève escarmouche où chacun tente de prendre le dessus sur l'autre. Dès que Thomas réussit à immobiliser son adversaire (avec une force qui surprend les deux frères), Marco le tire par le collet et se met à le rouer de coups. Paniqué, Thomas tente tant bien que mal de se protéger contre ce soudain assaut, mais il est durement atteint. Puis, pour une raison qu'il ignore, l'attaque est interrompue, lui permettant de se retourner face au gazon.

Lorsqu'il reprend ses esprits, il voit un jeune homme assez costaud se tenant debout à deux pouces du visage de Marco, les poings serrés et prêts à frapper. Marco, quant à lui, semble se dégonfler à vue d'œil. Dany s'est relevé et observe la scène avec de la peur dans les yeux.

— Tu veux danser, *hombre*? demande l'inconnu à Marco. *Let's go!*

— Non, c'est beau, lui répond ce dernier, visiblement intimidé.

Tandis que Thomas peine à comprendre, quelqu'un lui tend la main. C'est Ernesto, son codétenu, venu à sa rescousse avec son propre grand frère (qui semble d'ailleurs avoir connu beaucoup d'autres bagarres du genre avant ce jour). Thomas agrippe fermement la main de son sauveur et, tenant ses côtes endolories, se laisse hisser en position verticale.

— Ça va, mec? lui demande Ernesto.

— Ça pourrait aller mieux.

— Je te présente mon grand frère, Carlos, dit fièrement Ernesto.

Carlos, sans quitter son adversaire des yeux, salue Thomas avec un signe de paix. Marco est incapable de soutenir son regard.

— Viens, Dany, on s'en va.

Le plus jeune des deux frères, devenu blanc comme un drap, ne demande pas mieux. C'est donc la tête basse qu'ils quittent les lieux, la défaite lourde pour l'ego, sans se retourner une seule fois. Carlos montre enfin son visage, puis avance tout souriant vers Thomas.

— C'était limite, *amigo*! lui lance-t-il en tapotant doucement son épaule.

— Ouin. J'ai presque vu ma vie passer devant mes yeux.

— Presque?

— Ben… j'ai revu ma journée d'hier…

Carlos et son frère se mettent à rire.

— C'est un comique, ton ami!

— J'essaie, réplique Thomas. En tout cas, merci beaucoup, les gars! Je sais pas ce que j'aurais fait sans vous. C'est un drôle de hasard que vous soyez passés par là!

Carlos sourit.

— C'est pas un hasard, *hombre*. Mon frère les a entendus comploter après t'avoir vu parler avec la fille, alors il m'a appelé sur mon cell. Je faisais du jogging dans le coin, alors j'étais pas loin.

— Je vous en dois toute une !

— Nah ! Oublie ça !

— Tu veux venir chez moi ? lui demande Ernesto. Ma mère pourrait vérifier si tout est correct.

— C'est gentil mais il faut que je rentre. La mienne va s'inquiéter si j'arrive trop tard. De toute façon, ça va aller, la douleur s'en va. Une autre fois, ça serait cool.

— Tu habites où ?

— Laval-Nord.

Ernesto regarde son grand frère.

— On peut le reconduire chez lui ?

Carlos roule les yeux.

— *Por favor, mi querido hermano ?* (« S'il te plaît, mon grand frère adoré ? »)

Le jeune homme se tourne vers Thomas et lui lance :

— Tu vois ça ? C'est pour ça que mon frérot est dans un collège privé et que, moi, je travaille à temps plein dans une usine.

Ernesto fait aller ses sourcils, fier comme un paon.

— *Vamos !*

Le trio se rend donc devant l'immeuble des frères mexicains, une version un peu plus modeste que celui d'Annick, qui se trouve à moins de dix minutes de marche. Les bâtiments sont plus rapprochés les uns des autres et semblent moins bien entretenus. La voiture de Carlos, une Mustang dont il prend visiblement soin, contraste orgueilleusement avec son environnement. D'ailleurs, à en juger par les enjoliveurs chromés et tous les autres accessoires ajoutés par le propriétaire, il ne serait pas surprenant que la plus grosse partie de son salaire y soit passée.

Sur la route, Carlos se contente d'écouter la musique tandis que Thomas et Ernesto jasent ensemble sur la banquette arrière.

— Qu'est-ce qui t'est arrivé l'autre fois pour être envoyé au bureau du directeur? demande Thomas.

— Oh, ça? C'est rien, juste un gars qui a dit quelque chose que j'ai pas aimé sur ma mère.

— Qu'est-ce qu'il a dit?

— Qu'elle était grosse.

— Est-ce que c'est vrai?

Ernesto acquiesce.

— C'est chien. Il a dit ça de même ou il le savait?

— Le gars habite dans mon coin, alors il l'a déjà vue. Mon frère lui a fait laver la voiture après ça, deux journées de suite. Ma mère veut pas qu'il se batte parce qu'il a eu plein de problèmes avant, mais souvent c'est pas nécessaire parce que les autres ont peur de lui. Si tu penses que c'est dur ici, crois-moi, c'est rien à côté du Mexique. D'où je viens, même à notre âge, tu peux te faire tuer pour avoir regardé quelqu'un croche. Alors, si tu penses que Carlos a peur d'un gars comme Marco !

— Vous le connaissiez ?

— Oui, il s'entraîne au même club de boxe que mon frère. Pourquoi tu penses qu'il s'est calmé aussi vite ? Haha !

— Wow, le monde est petit. Ça fait longtemps que vous êtes au Québec ?

— Cinq ans. Mon père a trois jobs et ma mère travaille à la même usine que mon frère. Ils envoient de l'argent à notre famille là-bas, et mon collège coûte cher, alors c'est pour ça qu'on habite dans un trou.

— De l'extérieur, j'ai pas trouvé ça si pire…

— Quand je vais être plus vieux, je vais payer une grande maison à mes parents. Je vais faire tellement d'argent qu'ils auront même plus à travailler !

— T'es ben mieux ! s'écrie Carlos. T'es notre investissement !

— *Sí, sí…*, répond le cadet en soupirant.

— C'est toute une pression, ça ! s'exclame Thomas. Tu veux faire quoi plus tard ?

— Médecin.

— Wow! Tu dois bien réussir à l'école, d'abord…

Ernesto fait aller ses sourcils de nouveau.

— Et toi? demande-t-il à son tour à Thomas. Tu veux faire quoi plus tard?

— Je veux devenir cascadeur spécialisé en records Guinness.

— *Aye caramba!* C'est pour ça que tu t'entraînes déjà à tomber?

— Haha, très drôle…

Ernesto sourit, tout fier de sa blague.

— Mon père m'a dit que si ma passion est assez grande, je vais réussir, mais que ça va prendre du temps parce que je suis trop jeune encore.

— *Sí,* mais c'est la même chose pour moi, *amigo,* j'en ai encore beaucoup à faire, des études, avant d'être un docteur.

Thomas pousse un long soupir.

— J'aimerais ça que ça aille plus vite! C'est trop long, attendre avant d'être adulte!

Ernesto se contente de hausser les épaules.

— Tu sais que j'ai quelqu'un dans ma famille qui a établi un record Guinness? poursuit Thomas.

— Ah oui? Quelle sorte de record?

— Il a fait pousser la plus grosse citrouille du monde.

— Cool ! Peut-être que tu pourrais faire quelque chose comme ça en attendant.

— Faire pousser des citrouilles ?

— Eh bien, je sais pas, moi, quelque chose qui est sans danger…

Thomas fronce les sourcils.

— … pour l'instant ? ajoute Ernesto.

— Hmm… Je pense pas faire mieux qu'un fermier qui a passé toute sa vie là-dedans.

— Ça, c'est sûr.

— J'aimerais ça quand même, le rencontrer, peut-être qu'il pourrait m'aider à trouver le mien.

— Le tien ?

— Mon record personnel. C'est difficile à expliquer, mais je pense de plus en plus que j'ai ça dans le sang, que c'est ma destinée…

Ernesto regarde son nouveau copain avec scepticisme.

— Tu regardes trop de films, toi.

C'est au tour de Thomas de hausser les épaules.

Une fois à destination, Thomas remercie encore ses sauveurs, et les deux garçons échangent leurs numéros de téléphone. Ernesto a l'air particulièrement enthousiasmé de cette rencontre fortuite.

— Je t'appelle demain ! promet-il, la tête dépassant de la fenêtre comme un chien heureux. OK, *amigo* ?

— Oui! Ça va être cool! *Ciao!*

— Hé, c'est italien, ça! Nous, on dit : *adios!*

— Oups! Alors, *adios!*

Thomas se penche pour saluer Carlos. Le jeune homme lui rend la politesse avec un salut militaire.

— *Adios!*

Il lui fait un clin d'œil amical, puis appuie fort sur l'accélérateur pour faire crisser les pneus. Alors que la Mustang file à toute allure jusqu'à disparaître de son champ de vision, Thomas reste immobile quelques instants à fixer l'horizon.

— Plutôt spéciale, cette journée…, pense-t-il tout haut.

DOUZE

Après un souper en famille pendant lequel il est resté curieusement silencieux vu la quantité de choses qu'il aurait eues à raconter, Thomas s'habille et part flâner au parc pour regarder le coucher du soleil. Assis sur les estrades du terrain de baseball, il repense à cette semaine mémorable (pour le meilleur comme pour le pire) et tente d'assimiler tout ce qui s'est produit. Des événements en apparence aléatoires, mais tous étrangement liés les uns aux autres.

C'est alors qu'une histoire que lui racontait son grand-père lui revient à l'esprit. Le récit en question est une courte parabole sur la relativité des choses et met en scène un fermier et son voisin. Chaque fois qu'un événement se produit, qu'il soit positif ou négatif, le fermier se contente de dire à son voisin : « Je ne sais pas si c'est une bonne ou une mauvaise chose. » Et comme de fait, les événements en apparence positifs finissent par se révéler négatifs, et vice-versa. N'est-ce pas exactement ce qui s'est produit cette semaine dans la vie de Thomas?

Sa peur du rejet le fait cauchemarder : négatif. Il fait le clown sur le toit et gagne des fans : positif. Il se fait suspendre par la direction : négatif. Il découvre un livre inspirant, puis attire l'attention d'Annick et de sa bande : positif. Il perd William tandis que ses nouveaux «copains» se retournent contre lui : négatif. Il se lie d'amitié avec son sauveur : positif. Bref, il s'agit là d'un véritable yoyo de conséquences tout à fait imprévisibles.

Thomas commence donc à comprendre (et surtout à accepter) qu'il a bien peu de contrôle sur les événements qui surviennent dans sa vie et que, par conséquent, il devient inutile de trop s'en soucier. Est-ce que l'intervention de Carlos et d'Ernesto sera en fin de compte une bonne ou une mauvaise chose? Qui sait? L'important n'est-il pas d'être en vie, en bonne santé et, surtout, aimé? Pas question de s'inquiéter ni de s'apitoyer sur son sort! Après tout, il a eu la chance de grandir dans un milieu sain et sécuritaire, en plus d'habiter une grande maison avec ses deux parents qui s'entendent à merveille. Et, bien qu'il tarde un peu à grandir, ne possède-t-il pas assez d'habiletés naturelles pour pouvoir remercier sa bonne fortune?

Subitement, Thomas repense à Karl et à William, et le creux dans sa poitrine revient : la façon dont il s'est comporté avec eux est un énorme poids sur sa conscience. Rencontrés durant le camp d'initiation des nouveaux élèves du collège, ils avaient rapidement su calmer sa peur de la solitude en lui offrant une amitié instantanée, en plus de partager avec lui des appréhensions similaires. Chose certaine, Thomas les trouvait plutôt drôles et amusants avant de les comparer injustement aux autres. Quelques aspects de leur personnalité lui plaisent moins, certes, mais qui peut prétendre à la perfection ? D'une manière ou d'une autre, les deux garçons méritent des excuses sincères, et ce, le plus tôt possible.

C'est alors que Thomas sent son cœur se remplir d'une force dont il ignorait jusqu'à présent l'existence. Pour la première fois, il prend réellement conscience des conséquences de ses gestes et sait exactement ce qu'il ne veut pas devenir : quelqu'un qui ne pense qu'à lui. En gagnant en popularité au début du primaire, il avait graduellement cessé d'intimider les autres ou de se payer leur tête. C'est comme si la reconnaissance de ses camarades lui avait apporté l'amour-propre nécessaire pour mieux traiter son prochain ; un changement de cap qui lui avait d'ailleurs valu la présidence de la classe pendant deux années de suite ! Voilà exactement le type d'énergie que Thomas veut capturer de nouveau et, à la suite d'une réflexion sur son attitude de la veille avec Diane, il sait exactement par où commencer.

Comme porté par le vent, Thomas retourne chez lui d'un pas léger avant la tombée de la nuit. Aussitôt à l'intérieur, il appelle sa mère et la rejoint dans la salle de lavage. Il l'aide à plier le linge et formule une phrase aussi surprenante que rare :

— Je m'excuse pour hier.

Sa mère le regarde avec étonnement.

— De quoi tu t'excuses au juste ?

— J'aurais dû comprendre que tu filais pas, mais au lieu de ça, je t'ai parlé fort.

Diane sourit, visiblement touchée.

— Ce n'est pas grave, le rassure-t-elle, tu avais besoin de parler. Normalement, ça m'aurait fait plaisir, tu le sais bien, mais lorsque j'ai mal à la tête…

— C'est pas trop le temps de discuter…

— En effet.

— La prochaine fois, je vais essayer d'être plus délicat.

— Tu m'as quand même apporté un verre d'eau, blague Diane, alors je peux bien te pardonner.

Thomas réfléchit quelques instants, puis la regarde droit dans les yeux.

— Est-ce que je peux te poser une question ?

— Tu peux me demander tout ce que tu veux.

— Pourquoi, ces temps-ci, t'es pas pareille?

— Qu'est-ce que tu veux dire?

— Ben… je sais pas, on dirait que t'es plus fatiguée qu'avant. Ton regard est différent.

Diane, qui semble d'accord avec les observations de son fils, pousse un long soupir.

— Si tu savais, mon grand, la vie d'adulte n'est pas toujours facile. Je paierais cher pour retourner à ton âge. Il me semble que c'était beaucoup moins compliqué…

Les yeux de Thomas s'ouvrent grand.

— Oh, c'est assez compliqué quand même…

Pensive, Diane ne réplique pas.

— Pourquoi vous nous parlez jamais de ce qui va pas, toi pis papa? poursuit Thomas.

— De quoi est-ce que tu parles?

— Quand ça va pas, pourquoi vous nous donnez jamais de raisons? Ça peut pas être tout le temps juste de la fatigue ou des migraines… En tout cas, il doit y avoir d'autres choses derrière ça, non? Quand je suis fatigué, c'est souvent parce que j'ai mal dormi, pis si j'ai mal dormi, c'est souvent parce que quelque chose me tracasse,

Diane le regarde étrangement.

— Je ne sais pas qui a pris possession du corps de mon fils, mais est-ce que vous pouvez me le rendre, s'il vous plaît?

Thomas la dévisage.

— As-tu grandi d'un coup dans les derniers jours ? lui demande-t-elle. Depuis quand tu te poses ces questions-là ?

— Depuis un p'tit bout. Si tu t'intéressais plus à moi, peut-être que tu l'aurais vu.

Cette phrase a pour elle l'effet d'un coup de poignard au cœur.

— Alors, je ne suis pas une assez bonne mère pour toi, maintenant ?

— Excuse-moi, c'est sorti tout croche. Je sais que t'es très occupée. J'aimerais juste que tu me dises ce qui se passe dans ta vie… d'adulte. Je pense que je suis assez grand maintenant.

Diane prend délicatement le visage de Thomas et regarde profondément dans ses yeux. C'est alors qu'elle perçoit véritablement le changement qui s'est opéré en lui : une conscience nouvelle et incroyablement émouvante. Des larmes se mettent à couler le long de ses joues et elle serre son fils contre elle.

— J'essaie de t'épargner ça, mon Thomas, tout simplement. Je n'ai jamais douté de ton intelligence et je le vois bien que tu prends de la maturité. Mais tu es trop jeune pour te soucier de ces choses-là. J'aime mieux que tu profites de ton innocence pendant qu'il y en a encore un peu.

— Mais, moi, j'ai pas envie d'être épargné, lui dit Thomas en se défaisant doucement de son étreinte. J'ai envie de comprendre ce que, de toute façon, je sens quand même.

Après avoir essuyé affectueusement les larmes de sa mère avec sa manche, il se hisse sur le dessus de la sécheuse et croise les bras.

— Bon, fini le drame, on jase ! s'exclame-t-il pour chasser la tristesse.

Bouche bée, Diane croise elle aussi les bras et considère pendant un moment son fils transformé, à la fois incrédule et remplie de fierté.

Mère et fils discutent alors sans interruption, tout d'abord du travail de Diane et des lourdes responsabilités qu'il entraîne. Le centre pour personnes âgées qu'elle dirige connaît des moments difficiles : deux préposés ont récemment été congédiés pour maltraitance après une investigation par caméra cachée et les répercussions sont grandes. S'ajoutent à cela la dure réalité de sa fonction et l'atmosphère générale un peu morose qui, au quotidien, commence à la décourager.

— Mais le pire, poursuit-elle, c'est de voir ses parents vieillir et de savoir ce qui les attend. J'ai d'abord pensé que c'était une bonne idée qu'ils emménagent à ma résidence, mais…

— Tes parents sont pas si vieux que ça ! l'interrompt Thomas.

— Ça n'est pas qu'une question d'âge, mon grand.

Elle se retient pour ne pas pleurer.

— Tu te souviens quand tu m'as dit que ta grand-mère se répétait souvent ?

— Euh… ben, c'est normal, non ?

— Jusqu'à un certain point, oui. Mais quand elle est tombée sans raison apparente, on lui a fait passer des tests chez son médecin.

— OK…

— Eh bien, la semaine dernière, on a reçu les résultats. Elle souffre de la maladie d'Alzheimer. Tu en as déjà entendu parler ?

— C'est quand les vieilles personnes sortent de chez elles et savent plus où elles sont ?

— Ça arrive, oui, dans les stades avancés. C'est une maladie dégénérative du cerveau. Les personnes affectées perdent tranquillement leurs fonctions cérébrales, comme la mémoire, jusqu'à la mort.

La mort, voilà bien une réalité dont Thomas est resté à l'écart tout au long de sa courte vie. Son grand-père paternel est décédé avant sa naissance et, comme leur maison n'a jamais accueilli d'animaux de compagnie (outre le hamster), il n'a jamais vécu de deuil qui aurait pu le préparer à la mort d'un proche.

— Et vous alliez nous dire ça quand au juste?
s'indigne-t-il.

— Thomas, est-ce que tu peux comprendre
que ce n'est pas facile à annoncer, une nouvelle
comme celle-là?

Le garçon regarde par terre et acquiesce.

— On ne savait pas vraiment comment abor-
der le sujet avec vous, et nous n'avons pas non
plus trouvé le bon moment pour le faire.

— Est-ce que ça se guérit, l'Alzheimer?

— Non, pas encore.

— Est-ce qu'il lui reste longtemps à vivre?

— On ne le sait pas, ça dépend du rythme
auquel la maladie va évoluer. Tout ce que je peux
te dire, c'est qu'il va falloir profiter de chaque
moment avec elle. Tu comprends?

— Oui.

Thomas retourne dans les bras de sa mère, et
ils restent immobiles un moment à se réconforter
mutuellement.

Ce soir-là, Diane borde son fils comme
dans le bon vieux temps, prenant soin de s'assurer que leur discussion ne l'a pas trop
bouleversé.

— Je ne veux pas que tu t'inquiètes. Même si
les temps sont difficiles, ta mère est faite forte.

— Je sais…

— Et ma force, elle vient en grosse partie de vous. Même si j'ai l'air préoccupée et que j'ai un peu moins de temps que d'habitude pour te donner de l'attention, sache que je t'aime fort fort et que je suis très fière de toi.

— Même si j'ai eu une suspension?

— Même si tu as eu une suspension. Je ne veux plus jamais que tu recommences, mais je dois t'avouer que j'ai trouvé ça un peu drôle avec du recul.

— Pour vrai?

— Disons que je n'ai pas apprécié que tu montes sur le toit, mais j'aurais bien aimé voir ta petite danse par exemple.

Ils rient tous les deux.

— Et pour ce qui est de ta grand-mère, on va bien s'occuper d'elle, tu vas voir. Je t'emmènerai lui rendre visite bientôt, OK?

— Promis?

— Promis.

Elle dépose une bise sur le front de son fils et le laisse seul dans la noirceur. Les dernières pensées de Thomas avant de s'endormir sont pour ses grands-parents ainsi que pour tous les moments mémorables qu'il a vécus autrefois dans leur maison de campagne. Des souvenirs qui comprennent étrangement la belle Annick, les X-Men et un drôle de petit ch… zZZzZZzZZz…

TREIZE

Samedi matin, neuf heures. À peine Thomas a-t-il ouvert un œil que Charles entre dans sa chambre, le téléphone à la main. À l'autre bout du fil se trouve nul autre qu'Ernesto, sa voix incroyablement énergique indiquant qu'il est debout depuis un bon moment déjà.

— Bon matin, *compañero*!

— Euh… ça va?

— *Sí, sí!* Et toi, mon ami, bien dormi?

Thomas bâille paresseusement.

— Yep.

— Alors, qu'est-ce qu'on fait aujourd'hui?

— Je sais pas moi, de quoi t'as le goût?

— D'une aventure!

— Une aventure?

— *Sí*, une aventure!

— OK… Quel genre d'aventure?

Silence au bout de la ligne.

— Allô?

— Attends, je réfléchis…, lui répond Ernesto.

— Écoute, peux-tu me rappeler quand tu vas avoir trouvé? Parce que, là, je suis comme pas vraiment réveillé, pis j'ai de la misère à réfléchir. Genre que si mes parents me laissaient boire du café, j'en prendrais cinq.

— *No problema!*

Ernesto raccroche aussitôt. *Un peu étrange ce gars-là...*, pense Thomas en se levant. Il s'apprête à déposer le combiné sur son bureau lorsque la sonnerie retentit de nouveau.

— Oui?

— J'ai trouvé!

— Euh... je t'écoute...

— On va aller voir le fermier qui fait pousser les citrouilles!

— Quoi?

— On va aller voir le fermier qui fait pousser les citrouilles!

— Oui, je sais, j'ai compris ce que t'as dit. Mais comment tu veux qu'on aille le visiter, il habite à Farnham!

— C'est où, Farnham?

— J'en ai aucune idée, mais ça sonne loin.

— OK, je te rappelle!

— Attends!

— *Qué?*

— Peux-tu me laisser au moins une demi-heure cette fois-ci? J'aimerais ça, avoir le temps de prendre ma douche pis de manger avant d'entreprendre quoi que ce soit…

— *No problema!*

Clic. Bien qu'il ne prenne pas son ami au sérieux, la curiosité de Thomas a tout de même été piquée. Peut-être Carlos acceptera-t-il tout simplement de les conduire à Farnham? Pratique, tout de même, un grand frère.

— As-tu fini avec le téléphone, p'tit morveux? lui demande Charles, appuyé contre le cadre de porte.

Pas tous les grands frères, finalement.

Tandis que Thomas abuse du Nutella, sa mère dépose son journal et consulte l'afficheur du téléphone pour vérifier un nom.

— Luisa Ramirez, c'était pour toi, ça? demande-t-elle à son fils.

— Oui, c'est le nom de la mère de mon ami Ernesto.

— Ah bon? Il est dans ta classe?

— Non, c'est juste un gars que j'ai rencontré comme ça, à l'école.

— Ah bon, tu ne m'en as pas parlé. C'est un bon garçon, j'espère!

— *Mom*, franchement!

— Quoi? Je ne veux pas que mon fils fréquente n'importe qui!

Thomas analyse le visage de sa mère et comprend qu'elle plaisante. Décidément, leur conversation de la veille semble avoir un peu allégé son cœur.

— Il veut devenir médecin, si tu veux savoir.

— Médecin? Bon, eh bien, c'est réglé, tu peux l'inviter quand tu veux!

— Haha, je me tords de rire…, lui répond sarcastiquement Thomas.

— Mais pour vrai, il me semble que ça fait longtemps que tu n'as pas invité un ami à la maison, il manque un peu de vie ici.

Le garçon hausse les épaules.

— C'est comme ça.

— Allez-vous profiter de la belle journée pour faire quelque chose ensemble?

— Probablement.

— Vous allez faire quoi?

Thomas la dévisage.

— Bon, j'ai compris, monsieur a sa vie privée.

Le téléphone sonne et elle s'empresse de répondre. Thomas s'avance pour saisir le combiné, mais, telle une enfant espiègle, sa mère l'en empêche et le colle plutôt à son oreille.

— Maison Hardy, bonjour?

— Bonjour! Pourrais-je parler à Thomas, s'il vous plaît?

— *Mom!* s'exclame son fils tout bas.

— Oh, tu dois être… Ernesto! Je suis la maman de Thomas, comment vas-tu?

— Bien, merci. Et vous, madame?

— *Mom !!!* insiste Thomas en tentant d'agripper l'appareil.

— Ça va très bien. Il est très poli…, chuchote-t-elle en bloquant le microphone avec sa main.

— Donne !!!

— Bon, alors je te le passe. Au revoir, Ernesto.

— Au revoir, madame.

— Je t'aimais mieux quand t'étais de mauvaise humeur! lance Thomas à sa mère, un brin sérieux.

Diane feint d'être choquée par le commentaire et reprend sa lecture tandis que son fils se réfugie dans sa chambre pour poursuivre la conversation en paix.

— Bon, désolé, ma mère est un peu fatigante.

— Elle a l'air gentille, je trouve.

— Ouin… en tout cas. Quoi de neuf?

— J'ai cherché sur Internet. Ton Farnham, c'est pas si loin.

— C'est où?

— Environ à une heure au sud de Montréal.

— Ton frère va nous emmener?

— Non, il est parti avec sa blonde pour la journée. De toute façon, Carlos dit toujours que je ne suis plus son frère la fin de semaine et que je ne dois rien lui demander.

— Alors, on fait quoi ?

— J'ai vérifié les horaires d'autobus et il y en a un qui part dans une heure trente, et celui du retour passe ce soir à sept heures et quart.

— Un autobus qui se rend jusque là-bas ?

— *Sí*, un autocar.

— Ça coûte combien ?

— Une trentaine de dollars.

— Ben là…

— Tu n'as pas d'économies ?

— Oui, mais je les garde pour autre chose.

— Comme quoi ?

— Comme un jeu de Xbox.

— *Madre de Dios !* Je te propose une aventure et, toi, tu préfères qu'un personnage en vive une à ta place ?

— Ouin… dit de même…

— Allez, *amigo* ! Tu veux connaître le secret de ta destinée ou pas ?

— C'est pas toi qui disais que je regardais trop de films ?

— Mais non ! J'étais juste… j'étais juste jaloux, voilà !

— Jaloux de quoi ?

— Jaloux de… jaloux du grand destin de Thomas Hardy !

— T'es vraiment bizarre, toi. J'espère que tu le sais.

À l'autre bout du fil, Ernesto sourit fièrement.

— Pis, mettons qu'on y va, poursuit Thomas. On fait quoi, une fois qu'on est rendus au terminus? Je sais même pas où il habite.

— Tu peux demander à tes parents, non?

— Bof, ça ferait un peu suspect. Si je leur dis pas où je vais, c'est moins grave que si j'y vais quand même alors qu'ils m'ont dit non.

— *Comprendo*. Tu connais son nom au moins?

— Oui, Claude.

— Claude quoi?

— Hmm… ça doit être Madden, comme la mère de mon père.

— Madden, écrit comme sur le jeu de football?

— Exact.

Thomas entend aussitôt les doigts de son nouvel ami tapoter les touches d'un clavier. Quelques instants plus tard, Ernesto a déjà trouvé l'individu en question.

— Il va falloir qu'on marche un peu, dit-il. Il habite à environ dix kilomètres de la gare d'autocar.

— S'il est pas là, on fait quoi? demande Thomas, un peu plus nerveux qu'il n'ose se l'avouer à l'idée d'entreprendre le voyage.

— Bonne question, mais j'en ai une meilleure pour toi, *amigo*. Qu'est-ce qu'une aventure sans un peu d'imprévu ?

Ne trouvant rien à répondre à cette logique sans faille, Thomas se laisse finalement convaincre par son copain. Ils se donnent rendez-vous à l'arrêt d'autobus du collège et chacun part se préparer pour la grande expédition.

Un mélange exquis d'excitation et de crainte envahit Thomas tandis qu'il remplit son sac à dos de provisions. Comme il ne sait pas du tout à quoi s'attendre, la voie est ouverte à toutes les possibilités, et le mystère est extrêmement stimulant. De plus, comme son amitié avec Ernesto est vieille d'un seul jour, leur rencontre est déjà un événement en soi, sans compter que le jeune Mexicain a un esprit hors norme qui pique énormément sa curiosité. Si la plupart de ses amitiés antérieures sont nées de besoins primaires de camaraderie, celle-ci semble trouver sa source à un endroit plus profond de son être : bien qu'il ne le réalise pas encore, Ernesto est comme du carburant pour son moteur turbo.

— Est-ce que c'est possible de savoir à quelle heure tu rentres ou tu es rendu majeur et vacciné tout à coup ? demande Diane à son fils alors qu'il s'apprête à partir sans avertir personne.

— Après le souper probablement. On va être dans le coin du collège, il habite tout près. De toute façon, même s'il fait noir, c'est pas grave, son grand frère va me ramener à la maison.

— Et est-ce que je peux demander un bisou ou monsieur est au-dessus de tout ça ?

Thomas roule les yeux et pousse un soupir. Il se plie néanmoins à la demande.

— Passe une belle journée, mon grand. Je suis contente que tu te sois fait un nouvel ami.

— Bye, *mom*.

— Et ne fais rien qui pourrait t'attirer des ennuis !

— T'as pas de souci à te faire, c'est quand même pas comme si je partais à l'aventure !

Tandis qu'il descend les marches, le garçon ne peut retenir un sourire gamin : mentir n'a jamais été aussi excitant !

QUATORZE

Dès que l'autobus s'immobilise devant l'arrêt, Thomas cogne sur la vitre pour signaler sa présence à son ami. Ce dernier monte à bord et vient le rejoindre tout au fond, arborant une expression qui dit : « On va s'éclater ! » Sous son veston en suède se cache un t-shirt du bouclier du Capitaine America et il porte sur son front des lunettes d'aviateur rétro qui ressemblent à un petit casque de plongée sous-marine. Alors que les deux garçons s'apprêtent à se serrer la main, l'un de manière traditionnelle et l'autre de manière plus décontractée, Thomas déclare :

— Bon, il va falloir s'entendre pour la poignée de main parce que ça me met toujours mal à l'aise de pas savoir comment.

Ernesto rit.

— Moi aussi, je trouve ça ! Tu arrives pour le faire et il y a comme un petit moment d'hésitation pas rapport.

— OK, tiens ta main droite.

Thomas effleure la main de son ami avec la sienne et plie ensuite ses doigts pour former un poing. Ernesto réagit aussitôt et y cogne son propre poing.

— Ça fait ton affaire ? lui demande Thomas.

— C'est parfait comme ça. Bientôt, quand on sera des frères, on pourra rajouter la petite accolade que Carlos fait avec ses amis. C'est très gangster.

— Haha ! Vraiment cool, tes lunettes, en passant.

— *Gracias !* Elles sont à mon frère, par contre. Tu as tout ce qu'il faut pour le voyage ?

— Je pense bien. J'ai de la bouffe, de l'argent, pis mon couteau suisse.

— C'est quoi, un couteau suisse ?

— C'est un petit couteau de poche avec plein d'autres trucs dessus, comme des ciseaux, une scie, une paire de pinces.

— Ah, OK. Moi, j'ai failli oublier l'adresse, mais je suis retourné à la maison en courant. J'ai une lampe de poche aussi.

— Pour quoi faire ?

— Je sais pas, mon sac était presque vide et je trouvais ça triste.

— Haha, j'avoue que c'est pareil pour mon couteau ! Ça serait tellement cool, avoir plein de gadgets comme dans les films d'action, pis en avoir besoin surtout. J'ai failli prendre mon vieux kit d'espionnage en plastique, mais ça faisait un peu ridicule.

— T'aurais dû ! J'en avais un aussi, de mauvaise qualité, et tout s'est brisé avec le temps.

C'est ainsi que les deux compères se mettent à raconter quelques moments dorés de leur enfance respective, y trouvant un grand nombre de similitudes malgré les différents contextes sociaux. Comme quoi, certaines choses sont universelles...

Une dizaine de minutes plus tard, ils débarquent à la station de métro pour le trajet qui les mènera à la gare d'autocars. Lorsqu'ils poussent la porte tournante, un grand courant d'air les pousse vers le souterrain où un itinérant, planté devant un mur, avec ses yeux vitreux fixés dans le vide comme s'il était seul au monde, chante a cappella avec plus ou moins de succès. Ernesto dépose une pièce de vingt-cinq sous dans la casquette qui est posée sur le sol, puis traîne un Thomas fasciné vers la billetterie.

— Faut se dépêcher, sinon on va manquer notre autocar !

— Tu crois qu'il fait pas mal d'argent à hurler comme ça ?

— Pourquoi? Tu te cherches un emploi, *amigo*?

Du coin de l'œil, Thomas aperçoit trois adolescents qui profitent de l'inattention du vendeur de billets pour sauter par-dessus les tourniquets.

— T'as vu ça? s'exclame-t-il en les pointant du doigt.

— *Sí*. Carlos aussi le faisait avant, jusqu'à ce qu'il reçoive une belle amende de deux cents dollars…

— Ouch!

La foule qui occupe le quai offre un véritable festin de diversité pour les esprits observateurs des deux amis. Ces derniers se faufilent parmi les gens, prenant un malin plaisir à commenter les styles vestimentaires variés qu'ils croisent en chemin.

— T'imagines ça, tomber en plein milieu des rails? demande Thomas à la vue d'un panneau d'avertissement.

— *Hasta la vista, baby!*

— En tout cas, je connais un gars qui trouverait ça probablement fascinant.

— Qui?

— Je te le présenterai à l'école. Il tripe vraiment sur l'électricité.

— Vraiment? Pourquoi il aime ça?

— C'est une longue histoire.

Ernesto n'insiste pas. Quand le son du train se fait entendre dans le tunnel, l'espace aéré qu'ils s'étaient trouvé à l'avant se comprime peu à peu tandis que quelques usagers impatients les bousculent. Puis la rame s'immobilise enfin et les portes s'ouvrent, permettant aux garçons de s'asseoir sur les derniers sièges disponibles. C'est avec une certaine satisfaction qu'ils regardent jusltice se faire, puisque les mêmes impolis qui se trouvaient derrière se font pousser à leur tour, se retrouvant entassés comme des sardines. Comme hypnotisés par l'effet stroboscope que les lumières extérieures créent au passage du train, les deux aventuriers passent tout près de manquer leur arrêt, mais Ernesto réagit au tout dernier instant. Ils sortent du wagon comme deux bêtes affolées et quittent les niveaux inférieurs en direction de la gare d'autocars.

Les quinze minutes d'attente qui les séparent du voyage s'écoulent dans une excitation typiquement enfantine. Même Ernesto, pourtant habitué à vagabonder, admet avoir des papillons dans le ventre à l'idée de quitter la ville. Billets en main, ils sirotent leurs boissons gazeuses et attendent patiemment devant la baie vitrée l'arrivée du chauffeur. Thomas a les yeux admiratifs d'un gamin devant un comptoir de bonbons.

— Ç'a l'air luxueux, comparativement aux autobus de ville. Tu crois qu'ils ont des écrans comme dans les avions?

— Non, répond Ernesto en nettoyant ses lunettes d'aviateur, et puis, de toute façon, on va être trop occupés à regarder le paysage.

— C'est sûr. Hé, je viens de réaliser que je suis jamais allé vers le sud. Quand on va à la campagne, c'est toujours dans les Laurentides. Non, c'est pas vrai, il y a le zoo de Granby, je pense, qui est au sud.

— En parlant de zoo, j'espère qu'il va y avoir plein d'animaux à la ferme.

— J'y avais pas pensé! On va peut-être même pouvoir faire du cheval!

Les deux amis se regardent et frémissent d'un bonheur pur.

— Hi-hooooon, hi-hooooon! s'exclame Thomas.

— C'est pas un cheval ça, c'est un âne!

— Hahaha!

Thomas se lève et fait quelques pas de danse.

— *El delincuente de retorno!* («Le retour du criminel!») s'exclame Ernesto.

Il remarque les regards amusés des gens qui les entourent et sourit.

— Tu as un don, toi, Thomas.

Après une dernière pirouette, le petit danseur en herbe se retourne vers son ami.

— Un don de danseur ? Je sais !

— *Sí...* mais encore mieux : le don de rendre les gens de bonne humeur.

Thomas regarde autour et aperçoit quelques sourires en coin chez les spectateurs.

— Tu crois ?

— *Sí.*

— Ah bon.

Ne sachant pas trop quoi faire de cette information, Thomas change de sujet :

— Je me demande de quoi il a l'air, mon grand-oncle. En tout cas, j'espère qu'il va être sympathique ! Ça serait poche de faire tout ce trajet-là pour tomber sur un vieux pas commode !

— Dans ce cas, on lui volera son secret !

— Oui ! s'exclame Thomas en plaçant ses mains sur ses hanches. Ton secret est à moi, vieux schnock ! Mouahahahahaha !

— Hé, le chauffeur a ouvert la soute à bagages !

— Wouhou !

Les deux amis sortent aussitôt du bâtiment et tendent fièrement leurs billets au chauffeur. Comme seulement une poignée de passagers montent dans l'autocar, ils ont l'embarras du choix pour les sièges et se dirigent vers le fond du véhicule. Après une tentative infructueuse de tricher de la part d'Ernesto (consistant à laisser passer un court instant avant de choisir pour savoir ce que veut faire son adversaire), Thomas remporte une partie improvisée de roche-papier-ciseaux qui lui donne le privilège de s'asseoir à côté de la fenêtre. Le vrombissement du moteur en marche leur donne la chair de poule tellement leur énervement est à son comble et, lorsque l'autocar se met à reculer dans le stationnement, ils lèvent les bras en signe de victoire.

QUINZE

Alors que le paysage défile et que le gris de la cité disparaît derrière eux, le vaste horizon de la campagne procure à Thomas un sublime sentiment de liberté et stimule grandement son imagination : l'autocar est un vieux train à vapeur, les terres agricoles deviennent les plaines du Far West et les vaches qui broutent calmement l'herbe au soleil sont d'énormes bisons d'Amérique.

— Je ne veux rien enlever aux premiers colons, affirme-t-il en mâchouillant sa gomme, mais il me semble que l'histoire des États-Unis est plus excitante. Avec les cow-boys pis tout le reste…

— Excitante pour faire des films peut-être, mais mon *padre* dit que c'est jamais aussi bien dans la réalité. Il m'a raconté plein d'histoires sur mes ancêtres durant cette époque-là, à la frontière entre le Mexique et les États-Unis. C'était dur, très dur dans ce temps. Je crois que la seule chose de mieux qu'ici, c'était le climat.

— Ouin, ça calme les ardeurs, le froid. J'ai vu un reportage l'autre jour qui disait qu'il y a moins de crimes pendant l'hiver. Toi, t'as vécu ça comment, le changement de climat, quand t'as immigré ?

— *Muy mal !* On est arrivés à la fin de novembre. Pour moi, c'était déjà comme le pôle Nord. Chaque fois que je voyais un homme avec une barbe blanche, je pensais que c'était le père Noël !

— Haha ! T'as dû devenir fou quand t'as vu la neige pour la première fois !

— Si par « fou » tu veux dire « se rouler dans la neige pendant une heure », alors la réponse est oui. Hé, regarde le cheval là-bas !

Un superbe spécimen s'amuse à courir sans raison apparente dans son enclos.

— Wow ! Trop beau ! Un jour j'aimerais ça, en avoir un. Le mien serait tout noir avec la crinière en feu, les sabots aussi, pis il volerait.

Ernesto regarde son copain d'un œil incrédule.

— Je pensais avoir beaucoup d'imagination, mais ça, c'était avant de te rencontrer, *amigo*. Ça t'arrive parfois de simplement apprécier les choses telles qu'elles sont ?

— Ben oui ! C'est juste plus le fun comme ça !

Bien qu'Ernesto n'ait aucune mauvaise intention, sa question touche néanmoins une corde sensible et Thomas réalise qu'il a effectivement cette drôle de tendance à greffer constamment son imaginaire au monde réel, comme si ce dernier n'était jamais suffisant. Cette constatation le perturbe quelque peu, mais, comme il n'arrive tout simplement pas à s'en empêcher, il poursuit son élan créatif en s'imaginant qu'il chevauche les plaines avec Annick, qui s'accroche très fort à lui.

— Maudit que je suis quétaine! dit-il à voix haute sans s'en rendre compte.

— Quoi?

— Non, rien… As-tu déjà eu une blonde?

— *Sí*, en quelque sorte. C'était au Mexique, j'étais très jeune, mais je me souviens que je l'aimais beaucoup. Ma famille me taquinait toujours avec ça. Ils me demandaient: « Où est ta belle Mariaaa? » « Tu n'es pas avec ta belle Mariaaa? » Elle avait un an de plus que moi, et j'étais très impressionné.

— Un an de plus…

— Oui, et à cet âge-là c'est beaucoup. Cette fille, Annick, elle est en secondaire deux, non?

Thomas acquiesce.

— Et tu la trouves de ton goût?

— Pas mal. Mais ça peut pas marcher entre nous, alors ça sert à rien d'y penser… trop.

— Je vois. Moi, il y en a une qui me plaît bien dans ma classe, mais chaque fois que j'arrive pour lui parler, je bloque. Même si je répète tout dans ma tête avant d'ouvrir la bouche, rien ne sort.

— Tu penses trop.

— Ça, tu l'as dit, mon ami !

— Mais bon, on a le temps, non ?

— Le temps pour quoi ?

— Pour se faire des blondes.

— Ah ! Tout le temps du monde. De toute façon, toi, tu seras un grand cascadeur viril et, moi, je serai un riche docteur, alors je ne suis pas inquiet pour nous !

Les deux amis se tapent la main et sourient avec une assurance partagée.

Ils ont été les premiers à monter dans l'autocar ; ils sont les premiers à en descendre.

— Un petit pas pour un homme, mais un bond de géant pour… nous ! déclare solennellement Thomas avant de mettre le pied à terre.

Se retrouver au beau milieu d'une ville inconnue sans leurs parents est une expérience extrêmement grisante pour les jeunes aventuriers, surtout que cette impression mutuelle de se connaître depuis des années leur insuffle confiance et témérité. Il faut dire que c'est bien plus facile, et plaisant, d'affronter l'inconnu à deux.

— Bon ! s'exclame Thomas après s'être étiré. Maintenant on fait quoi ?

— Attends, j'essaie de me remémorer les images de la carte satellite.

— OK…

— T'en fais pas, *hombre,* c'est juste pour l'orientation du départ. On doit d'abord suivre la rue Principale qui borde la rivière et, après, c'est facile.

— Je te fais confiance. Je commence à avoir faim, toi ?

— *Sí,* mais attendons à mi-chemin, comme ça on va encore plus mériter et apprécier notre nourriture.

— Ça me va.

Thomas attache son chandail à manches longues autour de sa taille, puis il se met en marche aux côtés de son ami.

— C'est fou comme on est bien, s'extasie-t-il en sentant la chaleur du soleil sur ses bras. On se croirait en plein été.

— C'est à cause du réchauffement climatique !

— Tu crois ?

— Non, je blague. C'est normal, l'automne vient juste de commencer son quart de travail, alors il est un peu mêlé.

— Haha ! Mais, sérieusement, ça m'arrive souvent de penser à l'environnement. Ça me fascine quand mes grands-parents me racontent qu'ils se baignaient dans la rivière des Prairies.

J'aimerais qu'elle soit encore assez propre pour qu'on fasse pareil. C'est comme dans le film *Avatar*, le monde était pur avant que les humains se mettent à tout détruire.

— Oui, c'est triste. Tu l'as aimé, le film ?

— Aimé ? C'est mon film préféré de tous les temps ! J'adore les scènes de vol à dos d'ikran, pis quand les Na'vis se tiennent tous ensemble par les bras en faisant un genre de vague.

— Tous en harmonie !

— Exact ! Ça me donne des frissons chaque fois ! Nous, on parle à peine à nos voisins…

Après avoir consulté sa montre, Ernesto se met à fouetter l'air.

— Parlant de vol, ils m'énervent, ces immenses moustiques qui nous tournent autour !

— Hein ? Quels moustiques ?

— Ceux-ci !

Ernesto donne une claque derrière la tête de son ami et décolle comme une gazelle. Malheureusement pour lui, Thomas est un guépard et le rattrape aisément. Tous deux s'amusent ensuite à simuler un combat épique, prenant tout de même soin de garder le cap vers la ferme. Puis, avant de s'éloigner de la rivière, ils s'arrêtent un moment sur la rive pour reprendre leur souffle et profiter un peu du magnifique paysage.

— Tu penses à la mort, des fois? demande Thomas en lançant un caillou dans l'eau.

Le jeune Mexicain, plutôt surpris par la question, prend son temps pour répondre.

— L'année dernière, j'ai eu une phase où j'y pensais tout le temps, mais plus maintenant.

— Comment ça, tu y pensais tout le temps?

Ernesto hausse les épaules. Thomas s'apprête à laisser tomber le sujet, mais son ami finit par poursuivre:

— Je me suis mis à avoir peur des maladies, n'importe laquelle. Quand j'avais mal à la tête, c'était une tumeur au cerveau; quand je me sentais faible, c'était une leucémie, et ainsi de suite.

— Juste comme ça? À propos de rien?

— Tu l'as dit tout à l'heure: je pense trop.

— Pis qu'est-ce qui a fait que ça s'est arrêté?

— Un moment donné, j'ai juste compris que c'était une grosse perte de temps, c'est tout.

— Moi, j'ai appris hier que ma grand-mère souffre d'Alzheimer. C'est vraiment poche.

— Ah, je suis désolé, *amigo*.

— J'aimerais ça, faire quelque chose pour elle, mais je sais pas quoi.

— Tu trouveras bien.

— Ouin…

Après quelques minutes de silence et de réflexion, le duo reprend le chemin de la ferme.

Une série de bouffonneries absurdes ramènent la bonne humeur, un état d'esprit qu'ils se promettent de conserver pour tout le reste de la journée. Pourtant, lorsqu'ils croisent le chemin de fer, Ernesto s'arrête et fixe l'horizon d'un air visiblement attristé.

— Qu'est-ce que t'as? lui demande Thomas.

Les lèvres tremblantes, son ami peine à formuler une phrase cohérente.

— Ma sœur jumelle… elle… elle est morte lorsque…

Ernesto s'agenouille et place sa main devant ses yeux pour se cacher.

— … lorsqu'on a traversé la frontière… à bord du train de marchandises…

— Quoi? T'es pas sérieux?

Bouleversé, Thomas s'accroupit pour consoler son ami.

— Hmm… NON! répond Ernesto, les yeux pleins d'eau mais le sourire fendu jusqu'aux oreilles.

En voyant l'air confus de son copain, il ne peut s'empêcher d'éclater de rire. Thomas reste immobile un moment pour assimiler le gag, bouche bée. C'est alors que le rire incontrôlable d'Ernesto, tout comme son visage rouge dont les veines semblent sur le point d'éclater, l'incitent à se bidonner à son tour.

— T'es vraiment con, espèce de p'tit Mexicain pas d'allure !

— Haha ! Si t'avais vu ta tête, *amigo* ! Ta tête !

— Ben oui, mais moi je pensais que c'était vrai ! T'avais même des larmes aux yeux !

— Ah, je sais, je sais… je suis un acteur fort talentueux, que veux-tu !

— J'en reviens pas, t'as l'esprit vraiment tordu, mon gars !

Ernesto essuie ses larmes et salue une foule invisible à qui il envoie des baisers.

— Mais sérieusement, dit-il en déballant un autre suçon, je pense que la *track* rejoint l'endroit où on va.

— Tu penses ou t'es sûr ? Je le sais plus trop, moi, si je peux te faire confiance, monsieur Leonardo DiCaprio.

— Haha ! Mais oui, tu peux, j'ai une bonne mémoire visuelle. J'ai tout enregistré dans ma tête en regardant la carte.

— Si tu le dis.

— Alors, on passe par là ?

— Pourquoi pas ?

Les deux amis quittent donc la rue Principale pour marcher le long du chemin de fer. Très tôt, il n'y a plus aucune maison en vue, et le sentiment d'aventure s'en trouve amplifié. Nos versions modernes de Tom Sawyer et d'Huckleberry Finn sont au comble de la joie lorsqu'un grondement mécanique se fait entendre au loin, annonçant un train de marchandises qui avance à toute vitesse. Lorsque ce dernier est bien en vue, Ernesto se planque derrière un arbre comme si l'engin allait l'avaler, tandis que Thomas reste en plein milieu de la voie ferrée. En voyant le regard de défi de son ami, Ernesto se précipite vers lui et lui ordonne de sortir de là.

— N'y pense même pas, *compañero*!

— Relaxe, je vais m'enlever à temps, je te jure!

— Tu as perdu la tête? C'est trop dangereux, faire ça! Tu pourrais te faire tuer!

— Mais non! Tu vas voir, je vais attendre à la toute dernière seconde, la toute dernière FRACTION de seconde, ça va être génial!

— Si tu fais ça, c'est fini! Tu fais le reste du voyage tout seul, moi je m'en vais!

— Il y a rien que tu puisses dire pour me faire changer d'idée, mon gars! S'il m'arrive un accident, tu diras à ma famille que je les aime, OK?

Tandis que le train approche de plus en plus, Ernesto se sent complètement impuissant et commence à paniquer.

— Haha, je te niaise! lui crie Thomas en le traînant avec lui vers la lisière de la forêt. T'aurais dû voir ta tête! Ta tête!

Soulagé, Ernesto respire enfin de nouveau et se contente d'un sourire contraint. Une trentaine de secondes plus tard, le monstre mécanique défile devant leurs yeux dans un vacarme assourdissant qui fait se dresser les poils sur leurs bras. Bien qu'ils soient en sécurité, seulement quelques mètres les séparent de l'engin, et ni l'un ni l'autre n'a jamais vu de si près un train roulant à plein régime.

— Wouhou!!! s'écrie Thomas, plissant les yeux à cause du courant d'air qui balaie son visage.

— Yiiiihaaah!!! ajoute Ernesto en couvrant les siens avec ses grosses lunettes.

Puis le train disparaît comme le moment se passe, aussi intense qu'éphémère pour ces deux cœurs joyeusement affolés.

SEIZE

Lorsque l'estomac de Thomas commence à se manifester bruyamment, les deux amis s'arrêtent pour manger leur lunch. Un seul coup d'œil suffit pour comprendre que ce n'est pas Ernesto qui a préparé le sien.

— Tu vas manger tout ça ? lui demande Thomas à la vue du gigantesque repas.

— *Shí…*, lâche le Mexicain en mâchouillant.

— Ça va tout rentrer ?

Ernesto acquiesce avec délectation. Thomas, pour sa part, contemple brièvement son maigre sandwich et l'avale sans trop de plaisir, en deux temps trois mouvements. Par chance, son ami a bien appris l'art du partage et lui offre un burrito bien juteux.

— Mmm… burrito…, s'extasie Thomas entre deux bouchées.

— Une chance que je suis là, sinon tu serais non seulement perdu mais mort de faim.

— Justement, est-ce qu'on arrive bientôt, Grand Schtroumpf ?

— On a un peu plus de la moitié de fait, je crois.

— Shi mes parents shavaient que shuis ichi, haha !

— Bah ! C'est pas comme si c'était un endroit très dangereux. Moins que Montréal en tout cas, alors je vois pas le problème.

— Dis pas ça, on pourrait se faire attaquer par un troupeau de vaches folles !

— Ou de poulets grippés !

— Oublie pas les porcs contaminés !

— *Dios mío !* Sauvons-nous immédiatement de ce trou à rats avant de périr !

Tandis que les deux amis se tordent de rire, une mouette atterrit juste derrière eux pour gober un morceau de pain ; son cri les fait sursauter.

— Attaque de mouettes ! s'exclame Thomas en exécutant une roulade.

— Prends garde ! s'écrie Ernesto en brandissant sa fourchette en plastique.

L'oiseau s'envole, intimidé par l'énergie exubérante des garçons. Dès qu'ils ont fini de manger, ils déposent quelques restes sur le sol en offrande au dieu des mouettes et reprennent leur chemin. Lorsqu'ils atteignent enfin la route qu'ils devaient emprunter au départ, Ernesto, malgré son assurance, pousse un soupir de soulagement.

— On est tout près, comme j'avais prévu! dit-il fièrement à son copain.

— J'espère qu'il est chez lui au moins.

— Anxieux, *amigo*?

— Non, c'est juste bizarre comme situation. En plus, il est vieux, il va comme rien comprendre de ce qui se passe: «C'est qui, ceux-là? Pis qu'est-ce qu'ils me veulent, coudonc?» POW! Un coup de carabine dans les airs!

— Haha! Je pense pas, le rassure Ernesto. Ça va sûrement lui faire plaisir de te voir.

— À moins qu'il soit cannibale!

— SURTOUT si c'est un cannibale, tu veux dire. Dans ce cas-là, il va être très content de nous voir: «Entrez, les garçons, entrez! Venez vous réchauffer au bord de la marmite!»

Thomas rit un bon coup.

— Bon, on arrête! dit-il en se frottant le visage. Un peu de sérieux!

— *Sí.*

Un kilomètre plus loin, ils voient la maison de Claude Madden et s'arrêtent devant. Sur les côtés de la plaque figurent deux citrouilles peintes.

— On y va? demande Ernesto.

— On y va!

L'immense terre est délimitée par une forêt dense, contrastant avec la plupart des fermes environnantes qui offrent davantage d'horizon. Le chemin qui mène au bâtiment principal est d'ailleurs bordé d'érables gigantesques qui couvrent le sol d'ombre, contribuant à l'aspect enveloppant et intime de l'endroit malgré sa superficie. La bâtisse centenaire, érigée par l'arrière-grand-père de Xavier, a été récemment rénovée, mais possède toujours son charme d'antan, et si ce n'était le camion tout à fait moderne garé devant la demeure, les garçons pourraient se croire à une autre époque.

— C'est encore plus beau que je me l'étais imaginé, affirme Thomas en chuchotant comme s'il avait peur de déranger.

— Et dans ton cas, ÇA, c'est quelque chose…

Trop impressionné pour saisir la boutade d'Ernesto, Thomas remarque plutôt les plantes et les fleurs multicolores qui décorent chaque recoin du domaine et considère un moment le travail nécessaire pour entretenir toute cette beauté. Son terrain à lui, minuscule en comparaison, nécessite déjà trop d'ouvrage pour ses parents qui le confient à des paysagistes à chaque saison qui passe. Alors qu'il s'apprête à monter les marches de la galerie pour aller cogner à la porte, il aperçoit une dame d'un certain âge arrosant un jardin sur le côté de la maison. Ses gestes sont lents, mesurés, et elle semble prendre un immense plaisir à la tâche.

— Euh… pardon, madame, dit Thomas en s'en approchant.

Elle ne répond pas.

— Madame ?

Cette fois-ci, la femme sursaute. Elle se retourne et examine les deux garçons en plissant les yeux.

— Bonjour, je m'appelle Thomas. Je suis votre… euh… petit… neveu ?

— Est-ce que c'est une question ou une affirmation, jeune homme ? demande la dame avec le plus grand sérieux.

— C'est une affirmation, répond Thomas.

La dame s'avance vers eux.

— Et lui ? demande-t-elle en pointant Ernesto du doigt. Un peu foncé pour être de la famille…

Les deux garçons se regardent, perplexes.

— Ben non, je vous taquine ! les rassure la vieille femme en leur frottant affectueusement les épaules. Mais vous étiez pas plutôt supposés venir la fin de semaine prochaine ?

Ne comprenant absolument rien à la situation, Thomas et Ernesto restent sans voix. La dame regarde derrière eux et cherche la voiture.

— Xavier n'est pas là ?

Thomas comprend enfin : son père doit avoir appelé pour annoncer leur visite, faisant preuve d'une rapidité d'exécution qui le surprend et le touche profondément. Il se sent d'ailleurs un peu coupable de ne pas l'avoir pris au sérieux, ni attendu pour faire le voyage.

— Non.

— Ah bon, vous êtes venus comment, alors ?

— En autocar, madame, répond Ernesto.

— Comme deux grands garçons débrouillards ! En tout cas, c'est mon Claude qui va être content d'avoir de la visite ! Depuis qu'il est à la retraite, l'automne amène le blues, comme on dit. Il supervise encore le travail des gars, mais c'est pas comme mettre la main à la pâte, vous comprenez ? Mais bon, avant d'aller voir mon mari, vous allez venir me jaser ça un peu en buvant un bon verre de limonade maison. On peut bien se faire accroire que c'est encore l'été avec une chaleur de même ! Ça fait-tu votre affaire, ça ?

— Oui, madame ! répondent les garçons en chœur.

— Appelez-moi donc Yolande, suggère la dame avec un splendide sourire.

Ils la suivent à l'intérieur, se sentant déjà en famille avec elle en raison de la bonté qu'elle dégage. Bien que Yolande semble vouloir davantage entendre parler la jeunesse que raconter ses vieilles histoires, Thomas en profite tout de même pour en apprendre un peu sur les origines de sa famille. Ils discutent ainsi pendant une bonne demi-heure, après quoi elle les envoie en direction du champ où se trouve son mari (leurs mains remplies de biscuits à la mélasse, bien entendu).

Comme sa femme l'avait prédit, Claude Madden somnole paresseusement sur son gigantesque tracteur, au beau milieu du champ, lorsque les deux garçons pointent leur nez. N'osant pas le réveiller malgré la directive de Yolande, Thomas propose tout bas à son ami de s'asseoir à l'arrière de l'engin pour terminer leurs biscuits. C'est donc le son doux de leurs murmures qui réveille le fermier, mais en le plongeant dans la plus grande confusion.

— Des intrus sur mon tracteur? s'exclame-t-il avec une voix rigolote.

Bien qu'il ignore leur identité, il en faudrait beaucoup plus à ce véritable maître zen du terroir pour se sentir menacé. En entendant sa voix, les deux garçons descendent du véhicule et viennent le rejoindre à l'avant.

— Bonjour, monsieur Madden. Je suis Thomas, le fils de Xavier, et lui, c'est mon ami Ernesto.

— Ah ben! Le p'tit Hardy en personne! Vous étiez pas supposés venir la fin de semaine prochaine?

Déjà vu.

— C'est une longue histoire, répond Thomas.

— Xavier est pas là?

— Ça aussi, c'est une longue histoire. On est juste nous deux.

— On est venus en autocar, tout seuls! ajoute Ernesto, comme s'il allait à la pêche aux compliments.

— Ah bon! Ben, ça fait rien! On va avoir du fun pareil!

Les deux amis se regardent, soulagés de cet enthousiasme. Pas vraiment le profil d'un cannibale, en fin de compte.

— Embarquez! Je vais vous faire faire le tour de mon domaine!

Thomas et Ernesto obéissent sans se faire prier tandis que le sympathique fermier démarre le moteur de l'engin. Le sentiment de puissance que procure l'imposant tracteur aux jeunes passagers leur fait presque oublier son vacarme énorme, et sa hauteur leur permet de bien voir le paysage. Bien qu'ils aient du mal à entendre les commentaires du conducteur pendant le trajet, ils s'assurent d'acquiescer et de sourire poliment chaque fois qu'il les regarde, tout en espérant qu'un examen récapitulatif ne les attend pas à la fin de la journée.

À leur demande, le fermier coupe le moteur au bord de l'étang situé au milieu de sa terre, et ils descendent tous les trois pour admirer les animaux qui s'y trouvent. Une poignée de canards et quelques oies pataugent paisiblement dans le plan d'eau tandis qu'un cheval de trait s'y abreuve. Tout près, une chèvre et un bouc partagent l'herbe délicieuse avec des vaches, mâchouillant allègrement tout en observant d'un œil curieux les deux étrangers.

— Je vous présente Irishman! s'exclame fièrement Claude en s'approchant du cheval. C'est l'ouvrier le plus hardi que j'ai eu la chance de connaître. Maintenant, il est à la retraite, comme moi, et il va finir ses jours ici à se faire gâter! Parole de Madden!

— Il a l'air encore en santé en tout cas, répond Thomas en remarquant l'impressionnante musculature de l'animal.

— Oh, il l'est! C'est juste que mes gars préfèrent les machines. Ça travaille plus rapidement, c'est sûr, mais entre vous et moi, ç'a pas le même cachet. Mais bon, on n'arrête pas le progrès!

— Est-ce qu'on peut monter dessus? demande Ernesto, les yeux tout pétillants.

— J'ai ben peur qu'il soit pas fait pour ça. Mais j'ai une vieille calèche dans la grange… Aimeriez-vous mieux continuer la visite avec?

Les deux garçons émettent un « oui » retentissant.

— Bon ben, suivez-moi, m'en va vous arranger ça ! On va rendre un vieux cheval retraité heureux, les amis !

Le fermier n'a qu'à siffler pour que son fidèle compagnon le suive d'un pas excité, comme inspiré par les visiteurs qui, eux, gambadent de joie. Une quinzaine de minutes plus tard, c'est Irishman qui poursuit le tour de la ferme, soudainement rajeuni par cette nouvelle tâche. Comme il est plus facile de s'entendre parler sans le vacarme du tracteur, les garçons prennent maintenant un grand plaisir à écouter les anecdotes de leur hôte, stimulé lui aussi par l'arrivée de ces deux esprits infiniment curieux. Les histoires du fermier, aussi fascinantes que variées, font d'ailleurs presque oublier à Thomas la raison principale de sa visite. Par chance, ils finissent par arriver dans un clos isolé du domaine, un clos où poussent de gigantesques citrouilles.

DIX-SEPT

Si la magie existe, c'est dans ce petit bout de terre qu'elle se cache. Veillant sur les lieux comme le gardien d'un temple sacré, un vénérable saule pleureur à la silhouette humaine se tient debout devant les deux visiteurs. Ses longs bras majestueux se balancent doucement au gré de la brise automnale, faisant murmurer leurs milliers de feuilles tel un concerto d'âmes en peine. Tout autour se trouvent des monticules où poussent les fameuses citrouilles, aussi variées par leurs formes que par leurs tailles, chacune possédant sa propre personnalité. Bien qu'aucune n'ait les proportions de celle décrite par Xavier, ces énormes courges n'en impressionnent pas moins les garçons, habitués à celles que l'on trouve en octobre dans les supermarchés. Lorsqu'ils descendent de la calèche, ils adoptent la même attitude calme et respectueuse que s'ils se trouvaient dans un cimetière. D'ailleurs, cette révérence touche particulièrement le fermier qui considère ce lieu comme un véritable jardin secret, au sens propre autant que figuré.

— Rien qu'à voir vos visages, j'ai ben l'impression que ça vous plaît !

— Beaucoup, répond Thomas.

— Oui, c'est très beau, ajoute Ernesto.

Les deux amis se promènent parmi les imposantes citrouilles avec l'impression de se trouver dans un conte de fées.

— Ton père m'a dit que c'était ton rêve de faire un record Guinness.

À la simple mention du mot « Guinness », les yeux de Thomas se mettent à pétiller.

— En fait, j'y pense presque tout le temps.

— C'est un bon début !

— Ouin, je suppose. Pis vous, comment…

— Pas « vous », « toi » ! le corrige aussitôt Claude.

— Toi, comment l'idée t'est venue ? lui demande le garçon en s'arrêtant devant le plus gros spécimen de citrouille.

— Ah, ben c'est un drôle de hasard, cette affaire-là. Attendez un peu que je me rappelle comme il faut. Ça fait pas mal d'années, vous comprenez…

Le fermier s'assoit sur une grosse pierre et enlève son chapeau de paille pour se gratter la tête. Ses cheveux, encore plus blancs que sa barbe, sont étonnamment vigoureux pour un homme de son âge. Peut-être utilise-t-il la même formule pour sa chevelure que pour ses magnifiques citrouilles ?

— C'était en 76 si je me trompe pas. On avait connu un mauvais été dans la région, et nos récoltes en avaient souffert pas mal. Disons que le moral était bas et que ça festoyait pas trop fort comparativement aux autres années.

Il reste un instant silencieux en caressant doucement sa barbe.

— Mais tu m'as demandé comment est venue l'idée, poursuit-il. Ça, ça remonte à l'année juste avant. Mon intention était pas de faire un record Guinness. En fait, je savais même pas c'était quoi, un record Guinness. L'idée de faire pousser une citrouille énorme, ça venait de ma fille cadette, Marianne. Elle aimait ben gros l'histoire de Cendrillon et, là-dedans, il y avait une grosse citrouille que la fée transforme en carrosse. Je m'étais dit que ça serait ben drôle de lui en faire un… un carrosse, je veux dire… en utilisant une vraie citrouille. J'étais abonné à un magazine d'agriculture et, dans un des numéros, il y avait un fermier qui se spécialisait dans les citrouilles géantes. J'ai ben essayé de le contacter pour avoir ses trucs, mais il me les a jamais révélés. C'était un monsieur pas trop commode…

— Vous… T'as fait comment alors ?

— J'ai fini par trouver des graines d'Atlantic Giant. Ça, c'est la sorte qui donne des citrouilles géantes. Pis j'ai développé ma propre recette d'engrais. Mais je dois vous avouer qu'il y a eu une bonne dose de chance là-dedans. En tout cas, cet automne-là, ma p'tite Marianne a eu tout un cadeau de fête ! C'était pas son seul, ben entendu, faut dire que ça se conserve pas éternellement, un carrosse en citrouille. Mais, cette journée-là, elle et ses amies se sont amusées comme des folles ! De toute façon, j'avais construit l'armature pour pouvoir la réutiliser chaque année, jusqu'à tant que ma fille soit trop grande et que ça l'amuse plus.

Les yeux remplis de nostalgie, Claude laisse passer un moment avant de poursuivre :

— Comme je vous disais, le record Guinness est venu l'année d'après. En fait, il a dû y avoir une intervention divine parce que, comme tout le reste des aliments dans la région, les citrouilles étaient pas fameuses. Sauf que…

Les deux garçons, captivés, ouvrent grand les yeux et les oreilles.

— … il y en a une, mes amis, qui a juste jamais arrêté de pousser. C'est celle-là qui a établi le record. Énorme, vous dites ? À quatre cent trente kilos, ça serait quasiment une insulte !

— Wow ! Est-ce que t'as pris une photo ? demande Thomas.

— Ben sûr ! Elle est là ! répond le fermier en pointant sa tête avec son doigt.

Thomas reste un peu perplexe, mais quelque chose lui dit de ne pas insister.

— Mais ça s'est passé comment pour le record Guinness ? Je veux dire : qui est venu pour mesurer la citrouille ou pour confirmer que c'était la plus grosse du monde ?

— Ah, ben, ça aussi, c'est le fruit du hasard. Il y avait un touriste assis à la table à côté de nous à la taverne du village, un Américain. Comme on jasait souvent en anglais entre nous autres, ben il nous a entendus parler de ma citrouille et il s'est présenté. Imaginez-vous donc qu'il travaillait pour l'éditeur du *Livre des records Guinness* ! Une chose a mené à une autre et on a organisé une grosse fête pour marquer l'occasion. Vous auriez dû voir ça, tout le village y était ! Inutile de vous dire que cette reconnaissance-là a fait du bien à tout le monde.

— Mais c'est juste toi qui l'avais fait pousser, non ?

— Certainement, mais il faut que tu comprennes une chose, mon homme : à cette époque-là, c'était pas comme aujourd'hui, surtout dans un p'tit village comme le nôtre. Tout le monde se connaissait, tout le monde se jasait, pis le bonheur d'un seul, c'était le bonheur de tous. C'était pas juste moi qui battais un record, c'était le village en entier !

Le jeune Hardy, peu convaincu, se contente de sourire.

— Quand tout le monde s'entraide, poursuit le fermier, chacun est un peu responsable du succès des autres. Tu comprends ?

Le regard de Thomas s'allume.

— Oui, je pense que je comprends.

— Si je peux me permettre, pour quelle raison au juste tu tiens absolument à battre des records Guinness ?

Le garçon réfléchit un moment.

— Je pense que c'est pour me démarquer. J'aime ça, sortir du lot, comme on dit. J'aurais pensé que c'était comme ça pour tous ceux qui établissent un record.

— Hmm… Tu sais, mon homme, personnellement ç'a pas changé grand-chose dans ma vie, d'avoir un record Guinness. C'est certain qu'il y a une certaine célébrité qui vient sur le coup, mais c'est très local et ça passe assez vite. Ce qui est resté, c'est le souvenir de tous ces gens-là qui ont oublié leurs problèmes pendant un moment, en partie grâce à moi. Ça, je l'oublierai jamais. Et puis, tous les records finissent par tomber.

— Et le vôtre, il est tombé aussi ? demande Ernesto.

— Évidemment ! Et pas à peu près ! Les techniques s'améliorent, la génétique aussi, ça serait beaucoup d'ouvrage pour un vieux bonhomme comme moi de suivre le courant…

— Pourtant, vous continuez…

Le regard de Claude s'assombrit.

— Peut-être, mais c'est pas pour battre un nouveau record que je le fais, c'est en souvenir de ma fille. De toute façon, le saule est rendu ben trop grand, il en laisserait jamais une atteindre la même grosseur que cette année-là.

— Ta fille, elle est plus avec nous ? demande Thomas.

Les yeux du fermier deviennent humides.

— Elle est partie l'hiver suivant, juste après les fêtes.

Un silence inconfortable règne quelques instants, puis Claude se ressaisit.

— Mais bon, c'est une trop belle journée pour la gâcher avec des nuages gris ! Si ça vous dérange pas, je commence à avoir un p'tit creux. Qu'est-ce que vous diriez de goûter au bon pâté au poulet de ma femme ? Vous le regretterez pas !

Les garçons, malgré le fait qu'ils ont ingurgité un copieux repas en cours de route, acceptent volontiers l'offre. Juste avant de monter dans la calèche, ils regardent une dernière fois le jardin de citrouilles et son gardien pleureur, connaissant désormais la source de cette mélancolie qui semble hanter les lieux : même la beauté peut parfois donner la chair de poule.

Thomas et Ernesto passent donc le reste de l'après-midi chez leurs hôtes, ayant droit à un traitement princier auquel ils ne s'étaient certainement pas attendus. Même le jeune Mexicain, qui n'a aucun lien familial avec les Madden et qui ne connaît réellement Thomas que depuis à peine vingt-quatre heures, se sent comme s'il était parmi les siens. La ferme lui rappelle d'ailleurs le monde rural dont il est issu. Alors qu'il s'est fait discret au départ, il finit par voler la vedette avec ses histoires incroyables sur son pays natal, mélangeant adroitement drame et humour.

Le soir venu, alors que Claude s'apprête à reconduire les garçons à la station d'autocar, Yolande leur fait promettre de revenir les visiter dans un proche avenir, les couvrant de compliments sincères sur leur maturité et leur vivacité d'esprit. Les septuagénaires, peu habitués à côtoyer la jeunesse, ont été grandement impressionnés par l'intelligence précoce de leurs invités et ont pris un plaisir immense à les écouter parler de leurs vies respectives. Même les deux amis en ont beaucoup appris l'un sur l'autre, ce qui les a fortement rapprochés.

C'est avec un énorme sentiment de réussite que Thomas et Ernesto prennent place dans l'autocar qui va les ramener au bercail. L'aventure a été un grand succès, et ils en rapportent une expérience considérable. La noirceur apaisant leurs esprits surstimulés, c'est dans le silence que se passe la majorité du voyage de retour. Chacun habite ses propres pensées et revisite les moments marquants de cette fabuleuse journée. Pour Thomas, c'est évidemment la conversation sur les records Guinness qui résonne davantage dans son esprit. Ce dernier bouillonne, malgré la fatigue, de ces révélations récentes qui viennent chambouler sa manière de percevoir les choses.

Sa prise de conscience de la veille concernant son égocentrisme trouve un étrange écho dans les sages paroles de Claude, qui préconise une approche plus communautaire. Peut-être y a-t-il, pour le moment, moyen de concilier sa soif de dépassement personnel avec un projet plus altruiste. Lentement mais sûrement, son cerveau commence à relier les points, et une idée tout à fait géniale naît du chaos. En se précisant davantage, elle devient aussi éblouissante qu'une étoile et vient illuminer son cœur : il se promet alors de travailler dès demain à la mettre en œuvre.

DIX-HUIT

Fait exceptionnel, ce matin, toute la famille Hardy est présente à table pour le petit-déjeuner. Charles, qui a pris congé afin de consacrer la journée à ses études, observe son jeune frère et remarque chez lui un changement : une sorte de confiance accrue, subtile mais palpable, émane de sa personne.

— Comme ça, on se permet des p'tites aventures dans le dos des parents ? lance-t-il d'un ton provocateur.

— Oui, répond impassiblement Thomas.

Diane regarde son fils aîné d'un air sévère.

— Charles, ne commence pas.

— Quoi ? Je trouve juste ça bizarre qu'il soit pas plus dans la merde que ça après vous avoir menti. Si moi j'étais parti au milieu de nulle part à son âge, vous auriez capoté !

Thomas sourit.

— Faut bien des avantages à être le deuxième, déclare-t-il en plaçant ses mains derrière sa tête. Merci d'avoir pavé le chemin pour moi, Charlot.

Xavier dépose le journal pour déclarer :

— On a eu une bonne discussion avec ton frère hier soir et il a parfaitement compris que tout ce qui nous importe, c'est de savoir où vous vous trouvez au cas où il arriverait quelque chose. Prendre l'autocar en plein jour pour aller à Montréal ou à Farnham, on s'entend pour dire qu'il y a pas grande différence. Il s'en allait voir des gens de la famille, c'est pas comme s'il avait suivi un inconnu dans une wagonnette blanche en échange de bonbons.

Charles s'apprête à dire quelque chose, mais son père ne lui en laisse pas le temps :

— En plus, il nous a dit la vérité dès son arrivée, il s'est excusé et nous a promis qu'à l'avenir il nous dira toujours où il s'en va. Tu voudrais qu'on le torture, peut-être ?

L'aîné roule les yeux et secoue la tête en signe de désaccord.

— Et puis, lâche-le donc deux secondes ! poursuit Xavier. Tu as une vie tellement occupée, tu devrais te concentrer dessus au lieu de nous dire comment remplir notre rôle de parents…

Thomas regarde son père d'un air étonné : c'est le monde à l'envers. Charles marmonne quelques paroles incompréhensibles et avale rapidement le reste de ses crêpes avant de quitter la table.

— Où t'es allé, Thomas ? demande Jasmine à son frère.

— Dans une super belle ferme, chez l'oncle à papa.

— Est-ce qu'il y avait des animaux ?

— Oui, plein !

— Chanceux !

— On va y retourner, ma grande, lui promet Xavier, TOUS ENSEMBLE cette fois-ci, n'est-ce pas, Thomas ?

Le garçon, un tantinet repentant, acquiesce volontiers.

— Et tu remercieras Claude et Yolande, ajoute sa mère. Les éloges qu'ils t'ont faits au téléphone ont pesé dans la balance quand est venu le temps de décider de ton sort.

Thomas, à la manière d'Ernesto, se fait aller fièrement les sourcils.

Après le repas, tandis que son grand frère s'est enfermé au sous-sol et que Xavier écoute la télévision avec Jasmine, Thomas fait la vaisselle avec sa mère.

— Dans la résidence où tu travailles, est-ce que la plupart des personnes âgées sont encore capables de faire des activités ?

— Eh bien, oui, franchement. Il y a une aile réservée aux personnes moins autonomes, mais dans tout le reste de l'immeuble, il y a des gens comme tes grands-parents, qui sont encore relativement en santé, mais qui préfèrent la sécurité et les services d'une place comme la nôtre. Tu es déjà venu, tu le sais, ça.

— Oui, mais quand j'y suis allé, les gens avaient pas l'air de faire grand-chose.

— Ce n'est pas vrai. C'est parce que tu n'as pas visité les locaux d'activités que tu dis ça. Il y a une table de billard, une salle de cinéma, une petite taverne qui accueille des chansonniers de temps à autre, en plus de toutes les activités d'artisanat qu'on offre plusieurs fois par semaine. Il ne faut pas oublier la piscine aussi, et les terrains de pétanque qui sont très populaires quand le temps est doux. Bon, c'est certain que la plupart des résidants ne sont pas très actifs, mais au moins les possibilités sont là. On ne peut pas forcer les gens à faire des choses.

Thomas semble songeur.

— Mais pourquoi tu me demandes ça?

— Mettons que je voulais organiser une activité, une grosse activité pour les résidants, tu penses que ça serait possible? Que les gens embarqueraient?

— Ça dépend… Quel genre d'activité?

— Je sais pas trop encore, j'aime mieux pas en parler tout de suite. Mais si jamais mon idée est bonne, tu m'aiderais?

Diane considère un moment son fils, étonnée.

— C'est sûr! Dis-moi donc, fils-que-je-ne-reconnais-plus, qu'est-ce qui fait que tu t'intéresses aux aînés tout à coup?

— Tu verras bien! lance Thomas en finissant d'essuyer la dernière casserole.

Il donne une bise à sa mère et file ensuite à l'ordinateur.

Son plan, né la veille alors qu'il était assis dans l'autocar du retour, résulte d'un amalgame de ses préoccupations et des leçons précieuses qu'il a reçues récemment. Il tient toujours à battre un record, ça oui, mais un record utile, comme son grand-oncle pour sa fille. Il lui semble ne plus ressentir le besoin de se prouver quelque chose à lui-même, ni aux autres d'ailleurs: l'essentiel sera de faire le bien. L'idée lui est d'abord venue en pensant à sa grand-mère ainsi qu'à l'ensemble des personnes âgées vivant à la résidence. Chaque fois qu'il y est allé, il a trouvé l'ambiance un peu terne et remarqué que beaucoup de pensionnaires avaient un regard éteint. Si Claude a raison d'affirmer que l'importance d'un record se situe davantage dans son côté rassembleur, alors quel meilleur endroit pour l'établir que le manoir Saint-François? Non seulement un tel événement viendrait y insuffler un peu de vie, mais ce serait une occasion magnifique de montrer son amour et sa gratitude envers sa grand-maman.

Maintenant qu'il a choisi l'endroit et les principaux acteurs, une question majeure se pose : quel record des gens retraités, aux âges et aux capacités variés, pourraient-ils bien réaliser ? Comme Thomas compte inclure William et Karl dans son projet — s'ils veulent bien encore être amis avec lui —, il aimerait trouver un record où leurs talents respectifs seraient exploités, même si leur apport est minimal. Il veut surtout leur montrer que, malgré son comportement récent, il les apprécie et reconnaît leur valeur.

Donc, puisque William est excellent avec les chiffres et que Karl adore la nourriture, pourquoi ne pas concevoir avec eux une recette aux proportions gigantesques ? Et quoi de mieux pour faire une telle recette que d'utiliser des ingrédients gigantesques, des citrouilles par exemple ! Certain que son grand-oncle acceptera de contribuer à ce projet, Thomas se met à chercher sur Internet les records culinaires. Par curiosité, il regarde où en est le record de la plus grosse citrouille du monde et constate que Claude a visé dans le mille quand il a parlé d'évolution : le nouveau record, qui éclipse celui de l'année précédente par seulement quelques kilos, est détenu par une citrouille du Québec pesant huit cent vingt-six kilos (le double de celle de monsieur Madden !).

Thomas poursuit donc sa recherche et finit par tomber sur la plus grosse tarte à la citrouille du monde. Malheureusement pour lui, les chiffres qu'il voit à l'écran viennent confirmer que son idée de départ est beaucoup trop ambitieuse : presque huit mètres de diamètre pour un poids total de mille six cent soixante-dix-sept kilos. La liste d'ingrédients ?

<u>Tarte à la citrouille vraiment décourageante</u>

- 187 boîtes de citrouille
- 233 œufs
- 495 l de lait concentré
- 192 kg de sucre
- 3,2 kg de sel
- 6,5 kg de cannelle
- 1,3 kg d'épices à tarte

De plus, comme on ne peut produire une tarte aussi gargantuesque dans une cuisine traditionnelle, un four de même taille a dû être conçu exprès pour l'événement, un détail peu négligeable qui vient grandement compliquer les plans de Thomas. Alors, il cherche, il cherche et il cherche encore, peinant à trouver un projet peu dispendieux et réalisable du haut de ses douze ans. Plusieurs grognements de frustration plus tard, le garçon lance une boule de papier de toutes ses forces contre le mur recouvert d'affiches. Lorsque le projectile frappe celle d'*Avatar,* son film favori, une ampoule imaginaire s'allume au-dessus de sa tête, puis il se met à rire allègrement devant la beauté absurde de son idée.

Excité, il retourne aussitôt sur le site officiel des records Guinness et ouvre un nouveau profil.

— Jusqu'à quatre semaines ? s'exclame-t-il en lisant le délai nécessaire au traitement de sa demande.

L'autre option, qui ne prendrait que trois jours ouvrables, coûte plusieurs centaines de dollars. Impatient et loin de se laisser abattre, Thomas saisit le téléphone sans fil, consulte la liste d'appels reçus, puis compose le numéro des Madden en croisant les doigts.

— Oui, bonjour ?

— Allô, Yolande ! C'est Thomas. Ça va bien ?

— Thomas ! Ça va très bien, mon grand. Qu'est-ce que je peux faire pour toi ?

— Est-ce que Claude serait dans les parages par hasard ? J'ai quelque chose d'assez important à lui demander.

— Il est juste à côté, je te le passe. À bientôt, j'espère !

Elle passe le combiné au sympathique monsieur.

— Ton grand-oncle à l'appareil!

— Salut, Claude. J'ai quelque chose à te demander.

— Vas-y donc!

— Le monsieur qui travaillait pour les records Guinness, est-ce qu'il est encore vivant, tu penses?

— John? C'est une maudite bonne question, ça. Pour quoi faire?

— Ben, j'aurais un record à proposer, mais il y a un long délai avant d'avoir une réponse, pis le processus risque de coûter cher. Je me suis dit qu'il pourrait peut-être m'aider.

— Ça fait pas mal de temps, ça, mon homme. Même s'il est encore avec nous, il est probablement à la retraite.

— Oh, répond Thomas d'une voix déçue.

— Mais… ça coûte rien d'essayer! De toute façon, je suis certain que ça lui ferait plaisir de jaser, on a des beaux souvenirs en commun. En plus, il m'en doit une: c'est moi qui lui ai présenté la femme qui est devenue son épouse. Laisse-moi un peu de temps pour trouver ses coordonnées. Je vais te rappeler dès que j'ai des nouvelles. Qu'est-ce que t'en dis?

— J'en dis que c'est très apprécié!

— Ben, ça fait plaisir, *amigo,* comme dirait ton ami. Salut bien!

Une vague d'espoir envahit le cœur impatient de Thomas qui, dans l'attente de l'appel, fait déjà les cent pas. Comme il réalise au bout de quinze minutes que rester là à ne rien faire le rendra certainement fou, il part rejoindre son père et sa sœur au salon et leur propose de regarder un film. Il lui faudra cependant deux longs métrages, quelques heures de jeux vidéo et une bonne séance de fixage de plafond avant de recevoir l'heureux coup de fil. Lorsque la sonnerie du téléphone retentit, Thomas n'a besoin que d'une fraction de seconde pour répondre, le combiné étant dans sa poche depuis un bon moment déjà.

— Allô-est-ce-que-t'as-trouvé-le-monsieur?

Claude se met à rire.

— Oui, on s'est parlé pendant une bonne heure!

Le rythme cardiaque de Thomas s'accélère.

— Comme j'avais pensé, ça fait longtemps que John a pris sa retraite et il n'a plus de contacts dans l'entreprise.

Silence à l'autre bout du fil.

— Je suis désolé, j'aurais aimé pouvoir faire plus pour toi.

— C'est pas grave, je vais faire sans lui. Ça va prendre un peu plus de temps, c'est tout.

— Juste par curiosité, c'était quoi, ton idée de record, mon grand?

Lorsque Thomas lui explique son concept, le vieil homme se montre très enthousiaste et il l'encourage fortement à faire preuve de patience et de détermination. Il lui offre aussi son aide au moment opportun, fier comme un paon de constater que ses sages paroles ont eu un effet positif sur son petit-neveu. Après mille remerciements, ce dernier raccroche et se contracte les biceps : pas question de se laisser décourager par la bureaucratie ! Son idée est trop bonne pour être abandonnée, et il fera tout ce qui est en son pouvoir pour qu'elle se concrétise.

DIX-NEUF

Le lendemain matin, alors que ses yeux encore collés rendent la réalité toute floue, Thomas reste allongé un moment pour essayer de remettre en place les morceaux de son dernier rêve. Chose certaine, il y avait beaucoup de gens rassemblés pour l'écouter parler. Une salle… remplie de caméras et de microphones. Des flashs, énormément de flashs, aveuglants et grisants à la fois : une conférence de presse sans doute, mais pourquoi ? « Comment vous sentez-vous, monsieur Hardy ? » Flash, flash, flash. « Fier. » Mais de quoi ? Hum. « Monsieur Hardy, après trois millions d'exemplaires vendus, quel autre défi vous attend ? » Flash, flash, murmures, flash. « Euh… quatre millions ? » Rires, flash, flash, questions enterrées par le bruit, flash, flash. Mais quatre millions de quoi ?

C'est alors que le souvenir du livre lui revient, avec sa couverture au bleu familier sur laquelle figurait un titre des plus intéressants : *Livre des records Hardy*. Thomas se redresse et se frotte vigoureusement le visage. Quelque chose lui dit que son rêve est lourd de signification, mais son esprit reste embrouillé.

— Bah, tant pis! bâille-t-il en s'étirant.

Après une bonne douche fumante, il se sent assez réveillé pour continuer à organiser son projet. Prochaine étape, et non la moindre : faire accepter l'idée à la responsable. Après avoir rangé sa chambre et proposé son aide pour des tâches ménagères qui ne lui sont habituellement pas destinées, il profite de la bonne humeur de sa mère pour faire sa demande officielle. Malheureusement, la réaction initiale n'est pas des plus positives :

— J'en doute, Thomas, ça ne va pas marcher.

— Pourquoi pas? proteste le garçon.

— C'est beaucoup d'organisation, une activité comme ça, surtout avec le degré de participation que tu as en tête. Une soirée dansante avec un buffet, peut-être, mais pour le reste... C'est sûr que c'est beau dans ta tête de douze ans, mais les gens n'embarqueront pas en aussi grand nombre.

— Moi, je suis certain que la plupart vont accepter de jouer le jeu, surtout si c'est pour un record Guinness. Claude a trouvé ça super bon, comme idée. Tu peux l'appeler si tu veux une preuve. Je pourrai ensuite faire la demande sur le site Web, pis si c'est accepté, on aura juste à ramasser des sous pour payer la personne qui va venir juger la tentative. Je sais qu'on peut réussir, je le sais !

Diane tourne le dos à son fils et continue à plier le linge.

— Regarde, poursuit Thomas, tu m'as dit hier qu'on peut pas forcer les gens à faire des choses, mais que l'important, c'est que les possibilités soient là. Ben, elle est là, la possibilité ! Tout ce que je veux, c'est que tu demandes aux gens si ça les intéresse. Envoie une lettre à tout le monde, fais un sondage, pis on verra bien si ça peut marcher ou pas. S'il te plaît *mom,* s'il te plaît ! Fais ça pour moi, ça me rendrait tellement heureux, là ! Tu peux même pas t'imaginer ! Et puis, c'est surtout pour grand-maman que je fais ça, pour qu'elle vive quelque chose de mémorable avant que...

Il est incapable de terminer sa phrase.

— Prends-moi pas par les sentiments, Thomas, tu le sais que j'haïs ça !

— Fais juste la demande, OK ? Je vais être ton fidèle serviteur pour toujours ! Allez, *mom,* niaise pas, fais ça pour ton Tominounet d'amour !

Le regard de chiot égaré qu'il lance alors à sa mère est l'œuvre d'un véritable maître.

— Bon, OK, je vais envoyer une lettre. Mais ne te fais pas d'illusions, je connais très bien les gens et je n'ai pas envie de te ramasser à la p'tite cuillère si la réponse de la majorité est non.

— Yé !

Petits pas de danse.

— T'es la meilleure des meilleures mères du monde !

Thomas s'avance et la serre de toutes ses forces.

— Doucement ! Ça t'avancera pas à grand-chose de m'étouffer !

Mais Thomas relâche à peine son étreinte, trop rempli de bonheur pour bien la contrôler. De ce précieux moment jusqu'au soir, son cerveau surchauffe à ressasser toutes les possibilités et à se projeter en boucle le film de l'événement.

Comme il a promis à sa mère de lui présenter son nouvel ami dans les plus brefs délais, Thomas profite du lundi de congé pour inviter Ernesto à la maison. Dès qu'il se présente à la porte, le jeune Mexicain est reçu par un comité d'accueil parental un peu trop envahissant au goût de Thomas qui, pour une heure entière, se voit obligé de partager son copain (le hasard a voulu que Xavier travaille à la maison pour la journée et que Diane décide de revenir dîner). Dès qu'une ouverture se présente, il doit pratiquement traîner Ernesto dehors pour l'emmener visiter son quartier. Premier arrêt : le dépanneur du coin pour y faire le plein de sucreries.

Barbotines géantes et sacs de jujubes en main, les garçons se rendent ensuite au parc où ils s'assoient à une table de pique-nique. Très vite, le taux de sucre dans leur sang les rend absolument hyperactifs et ils discutent du projet de Thomas à un rythme effréné.

— Tu comptes faire quoi pour la diffusion ? demande Ernesto.

— Qu'est-ce que tu veux dire ?

— Eh bien, ça serait cool si beaucoup de monde pouvait voir l'événement. Tu ne comprends pas, *amigo,* c'est trop fou, ton idée, pour que ça passe dans le beurre.

— Je sais, mec, c'est épique. Tu suggères quoi ?

— Tu pourrais peut-être filmer et mettre ça sur YouTube, ou quelque chose du genre.

— C'est trop vrai ! En plus, je connais le gars parfait pour s'occuper de ça !

— Qui ?

— William.

— Le gars de l'électricité ?

Thomas rit.

— Oui, mais sérieusement il est vraiment calé dans tout ce qui est technologique. Quand il avait genre huit ans, il construisait déjà des p'tits circuits électroniques avec des kits que ses parents lui achetaient. Pis, pour ce qui est des ordinateurs, c'est vraiment son domaine. Je suis certain qu'il va être trop heureux de gérer ça. Je lui en dois une de toute façon.

— Pourquoi tu lui en dois une ?

— Ben, j'ai pas été super correct avec lui. Quand je me suis mis à me tenir avec la gang à Annick, ben je lui ai dit des choses pas trop gentilles. Ça l'a blessé, disons.

— Des choses comme quoi ?

— Euh… des choses vraies mais qui sont mal sorties, sur sa personnalité genre. Mais je vais arranger ça, je vais lui parler demain. De toute façon, on s'entend que les secondaire deux, c'est fini.

— Tu ne vas plus voir ta belle Annick ?

— Justement, c'est pas MA belle Annick.

— Relaxe, *hombre*, lui répond Ernesto en se la jouant un peu. Je pense pas que son copain va te donner de la misère après l'intervention de Carlos l'autre jour…

— Peut-être pas, mais ça va quand même la rendre mal à l'aise. Elle a l'air de l'aimer, alors elle va faire ce qu'il lui demande, c'est sûr. De toute façon, j'aime mieux avoir ma propre gang d'amis. Avec toi, on va être quatre, c'est un bon début.

— Quatre ? C'est qui, l'autre ?

— Oh, Karl ?

Thomas se gratte la tête.

— Ben, c'en est un autre à qui il va falloir que je parle. Disons qu'il aurait intérêt à réviser ses priorités…

— Lui non plus, il ne fait pas l'affaire ?

— C'est pas ça, tu vas voir pourquoi je dis ça quand tu vas le rencontrer. Je sais que je suis pas parfait moi non plus, mais c'est juste qu'on est rendus au secondaire, là, on n'est plus des enfants.

— Hum, un peu encore quand même…

— Oui, mais c'est le temps de franchir la barrière. Comme notre aventure d'avant-hier, par exemple… Ces gars-là, ils nous auraient jamais suivis, jamais ! Mais bon, ils ont probablement juste besoin d'un p'tit coup de main pour se déniaiser un peu, comme tu l'as fait avec moi quand t'as insisté au téléphone. Tu comprends ce que je veux dire ?

— *Sí, sí*, je comprends. Mais, pour en revenir au projet, qu'est-ce que tu vas faire si, les petits vieux, ils veulent pas embarquer ?

— Euh… déprimer.

— Eh, question stupide. Mais je suis certain que ton projet va marcher, ne t'en fais pas. Quand est-ce que tu vas avoir une réponse ?

— Probablement pas avant la fin de la semaine. J'ai le temps d'y penser… TROP de temps pour y penser. Mais j'aime quand même mieux préparer le plus de choses possible à l'avance pour ne pas perdre de temps si jamais la réponse est oui.

Thomas pousse un long soupir et poursuit :

— En plus, même si les gens acceptent de participer, il va rester la question du record et tout le tralala. Ça va probablement être l'étape la plus compliquée. Pour l'instant, j'ai même pas envie d'y penser.

Ernesto réfléchit quelques instants.

— Au fond, tu n'as pas à y penser, *amigo*… jamais !

— Euh…

— Je veux dire : pourquoi il faut absolument que ce soit un record Guinness ?

— Ben… parce que… c'est ça, l'idée de base…

— Non, l'idée de base, c'est l'activité pour les personnes âgées que tu as imaginée dans ta tête et que je trouve géniale. Le record Guinness, c'est juste un statut, un titre. Si elle est tellement compliquée, cette partie-là, pourquoi ne pas l'ignorer complètement ? Claude nous a même dit que ça n'a rien changé dans sa vie, d'avoir un record Guinness, non ?

Tandis que Thomas considère les paroles de son ami, son étrange rêve lui revient.

— T'as raison ! s'exclame-t-il en le pointant du doigt. Je vais faire mon propre livre des records !

Ernesto le regarde d'un air incrédule.

— Hum… ce n'est pas ce que je voulais dire, mais…

— Non, non ! C'est ça ! Ben, pas nécessairement un livre, pis pas nécessairement des records, mais…

Ernesto rigole.

— En tout cas, je me comprends ! s'exclame Thomas en riant lui aussi.

— Haha ! Je te crois, je te crois ! Dis donc, j'ai des fourmis dans les jambes. On peut bouger d'ici et continuer à parler en marchant ?

— Certainement, monsieur Ramirez !

Thomas bondit aussitôt du banc et fait signe à son ami de le suivre.

Après un long crochet qui fait le tour du quartier, les deux compères finissent par arriver devant l'ancienne école primaire de Thomas où quelques groupes d'enfants du service de garde s'amusent sous le regard vigilant de leurs éducateurs. Au loin, une figure familière se tient debout à l'extérieur de la cour, pointant du doigt différentes parties de l'édifice. Il s'agit d'Olivier, qui est accompagné d'une jeune demoiselle en uniforme scolaire.

— Olivier ! s'écrie Thomas à pleins poumons.

Le garçon lui envoie la main en retour et lui fait signe de venir le rejoindre.

— Si c'est pas le p'tit Hardy! Ça va, mec?

Le p'tit? s'indigne Thomas intérieurement. *Coudonc, est-ce qu'il fait exprès?*

— Je te présente Cassandra, poursuit Olivier. C'est ma nouvelle copine.

La jeune fille est jolie, mais dégage une certaine froideur.

— Salut, moi, c'est Thomas.

Elle se contente de hocher doucement la tête et lui accorde un piètre sourire.

— T'es venu montrer ton ancienne école à ta blonde? demande Thomas à Olivier.

— Oui, pis je vois que toi aussi! répond ce dernier sarcastiquement en faisant allusion à Ernesto.

Le jeune Mexicain regarde son ami d'un air irrité, comme s'il comptait sur lui pour répliquer quelque chose. Thomas, après tout, n'a pas la langue dans sa poche.

— C'est une des filles dont tu me parlais? reprend Olivier sur un ton condescendant. Vous allez bien ensemble en tout cas.

— Oui, déclare sèchement Thomas, c'est ça. Dis-moi donc, mon beau brun, as-tu raconté à ta blonde l'histoire de l'Halloween au service de garde l'an passé, quand on a regardé un film d'horreur, pis que t'as pissé dans tes culottes parce que t'avais trop peur de te lever?

Les yeux d'Olivier sont grands ouverts et son visage est rouge comme un homard. Thomas continue :

— Ç'a fait un gros cercle jaune sur le devant de ton pantalon, pis quand il a fallu qu'on quitte la salle, tu t'es mis à pleurer parce que tout le monde riait de toi.

Alors que Cassandra regarde son copain pour vérifier la véracité de l'histoire, Ernesto se cache derrière Thomas et pouffe de rire.

— Tu dis n'importe quoi, mon gars, ferme-toi donc !

Thomas fait un clin d'œil à Cassandra.

— Occupe-toi-z'en bien, c'est un grand sensible au fond…

Puis les deux garçons reprennent leur chemin en riant tandis qu'Olivier tente par tous les moyens de minimiser la fâcheuse révélation aux yeux de sa douce. Malgré sa victoire morale, un sentiment de tristesse envahit Thomas, car il ne comprend pas l'attitude de celui qu'il considérait autrefois comme un de ses meilleurs amis.

— Il est jaloux, je pense, affirme Ernesto.

— De qui, de moi ?

— *Sí.*

— Pourquoi ? J'ai rien de plus que lui.

— Tu pourras lui demander la prochaine fois que tu le verras.

Thomas regarde son ami d'un air sceptique.

— Ha ! Elle est bonne, celle-là…

VINGT

Thomas a mal dormi. Il se réveille un peu anxieux. Même s'il ne craint pas pour sa sécurité, l'idée de croiser Dany ou Marco à l'école ne lui plaît pas trop. De plus, c'est aujourd'hui qu'il doit parler à William et il redoute un certain malaise. *J'ai hâte que la vie devienne un peu moins compliquée*, pense-t-il en affrontant son reflet dans le miroir. La petite altercation de la veille avec Olivier lui pèse également encore sur le cœur. Heureusement, il compte maintenant Ernesto parmi ses amis, et la perspective de l'avoir à ses côtés le rassure énormément.

Comme le pont est congestionné à cause d'un accident, Thomas arrive à l'école un peu plus tard que d'habitude. Il court donc jusqu'à la bâtisse et monte directement à la classe de mathématiques sans passer par son casier. Le garçon croit d'ailleurs être arrivé à temps, mais juste avant qu'il n'atteigne la porte, monsieur Meunier pose la main sur la poignée et la ferme devant ses yeux.

— Monsieur, c'est pas ma faute! proteste Thomas. Il y avait un accident sur le pont, j'ai fait du mieux que j'ai pu, je vous le jure! La cloche vient juste de sonner!

Derrière la vitre, le professeur lui fait signe que ce n'est pas son problème et retourne vers son bureau d'un air impassible. Dès qu'il a le dos tourné, Thomas lui fait une grimace de colère qui suscite plusieurs rires dans la classe.

— Qu'est-ce qui se passe ici? demande un autre enseignant qui emprunte le corridor.

— Rien, répond Thomas en se retournant.

— Rien? Tu es sûr? Parce que, moi, je t'ai vu agir de manière extrêmement impolie il y a cinq secondes à peine.

— Oh, ça? C'était rien, c'était juste une blague.

— Viens avec moi, lui ordonne le professeur avec ce ton sévère que Thomas connaît déjà trop.

Ça tombe vraiment à pic! pense aussitôt ce dernier en sachant très bien qu'une visite chez celui-dont-on-ne-doit-pas-prononcer-le-nom l'attend.

Comme de fait, pour la deuxième semaine d'affilée, il se retrouve dans le bureau de monsieur Sigouin. La différence, c'est qu'il se considère cette fois comme la victime et c'est pour cette raison qu'il pénètre dans la pièce avec une tout autre attitude. Depuis quand est-il responsable de l'état du trafic?

— Encore vous, monsieur Hardy? demande le directeur de sa voix autoritaire.

— Encore moi, répond Thomas en le regardant dans les yeux.

— Avez-vous l'intention de prendre un abonnement? Parce que je vous assure que l'ambiance va empirer chaque fois.

Malgré l'intimidation que subit Thomas, jeune élève, de la part d'un adulte en position d'autorité, son indignation prend le dessus sur sa peur.

— Sérieusement, monsieur, je comprends vraiment pas ce que je fais ici. Je me suis levé à l'heure ce matin, j'ai fait exactement comme d'habitude. Est-ce que c'est ma faute s'il y a eu un accident sur le pont?

Le directeur, surpris par l'assurance de Thomas, réplique aussitôt:

— Le problème n'est pas tant le retard que le geste méprisant que vous avez eu à l'égard de votre enseignant. Méprisant!

— C'était juste une grimace, rien de sérieux! J'étais frustré parce que la cloche venait de sonner genre quelques secondes plus tôt, pis il m'a quand même fermé la porte au nez...

— Je n'ai pas l'intention de débattre de la question avec vous, jeune homme! Je suis ici pour appliquer les règlements.

Il tape le bureau avec son doigt.

— Manquer de respect envers le personnel de l'école est inacceptable ! Inacceptable !

— Je n'ai pas manqué de respect, j'ai jus…

— Plus un mot ! l'interrompt le directeur. Retournez vous asseoir sur le banc jusqu'au prochain cours. Vous allez rédiger une lettre d'excuses pour monsieur Meunier et je vais ajouter un autre avertissement à votre dossier. Je vous préviens, monsieur Hardy, tenez-vous les fesses serrées parce que je vous ai dans le colli-mateur. C'est clair ?

Thomas, dégoûté, ne répond rien.

— Est-ce que c'est clair ?

Toujours pas de réponse chez le garçon, outre ses yeux qui se mouillent d'impuissance et de colère. Le directeur n'insiste pas davantage et lui fait signe de quitter son bureau du revers de la main.

En attendant le prochain cours, Thomas compose à contrecœur sa lettre d'excuses :

Cher monsieur Meunier,

Je regrette de vous avoir fait une grimace, c'était déplacé de ma part. Cependant, je trouve que vous auriez pu me laisser entrer dans la classe au lieu de me fermer la porte au nez, car je ne le méritais pas.

Moi aussi, j'aimerais avoir la chance de recevoir une lettre d'excuses, mais comme vous n'allez pas m'en écrire une, je vais me contenter de croire que vous aussi, vous regrettez votre geste.

Sincèrement,
Thomas Hardy

Le garçon profite ensuite du temps qui lui reste pour préparer mentalement sa conversation avec William. Quels mots utiliser et quel ton adopter? « *Tu sais, Will, c'est pas que t'es pas hot, c'est juste que…* » Non. « *Will, t'es un bon gars, super intelligent, mais t'es encore un peu trop bébé à mon goût…* » Non, ça, c'est chien. « *Will, c'est intéressant quand tu parles, genre, des fois, mais d'autres fois ça l'est moins…* » Coudonc, c'est ben dur, ça! « *Will, t'as le droit d'aimer les pokémons pis l'électricité. L'électricité c'est… électrisant, après tout!* » Ah, franchement, pourquoi je dirais ça? C'est tellement con! « *Will, pierre qui roule n'amasse pas mousse…* » Thomas rit un bon coup, à défaut de trouver ses mots. Il aperçoit alors du coin de l'œil monsieur Sigouin qui s'est levé pour vérifier la provenance du bruit.

— Ça vous amuse, être assis ici? demande le directeur en sortant son petit visage moustachu du cadre de porte. Parce que je pourrais m'arranger pour que ça dure plus longtemps…

Thomas répond avec un subtil sarcasme :

— Mais, monsieur le directeur, vous voudriez quand même pas que je manque d'autres cours, pis que mon éducation en souffre ? Mes parents seraient tellement déçus… au prix que ça coûte, étudier ici !

Monsieur Sigouin considère un moment ses propos.

— Non, bien sûr que non.

Se sentant ridicule sans trop savoir pourquoi, le triste personnage retourne s'asseoir à son bureau. Qu'a donc ce garçon qui l'irrite tant ? Et les autres jeunes, eux ? Se pourrait-il que le problème réside finalement dans sa propre âme malade ? Hélas, monsieur Sigouin ne se pose pas ce genre de question. S'il le faisait, il ne serait pas aussi désagréable et aigri.

À l'heure du dîner, Thomas retrouve Ernesto à la cafétéria et va rejoindre ses amis à leur table habituelle. Lorsqu'il passe devant la bande d'Annick, il fait comme s'il ne les voyait pas.

— Shalut, Tom, lance Karl en mâchouillant innocemment. Cha va ?

— On peut s'asseoir avec vous ? demande Thomas.

— Euh… oui! répond aussitôt William qui paraît agréablement surpris.

Il enlève ses affaires pour leur faire de la place et inspecte attentivement le nouvel arrivant.

— Je vous présente Ernesto. Ernesto, je te présente William, le dieu de l'informatique…

Le jeune intellectuel, qui n'en demandait pas tant, sourit et replace fièrement ses lunettes.

— … pis, lui, c'est Karl, le plus fort élève de secondaire un que je connaisse.

L'imposant garçon se contente de hausser les épaules et poursuit son repas. Dès qu'ils ont fini de manger, les quatre élèves jettent leurs déchets et sortent pour prendre l'air et profiter du soleil. Lorsque Ernesto et Karl, s'étant déjà trouvé une passion commune, se mettent à discuter de hockey, Thomas en profite pour prendre William à part.

— Je voulais te parler, mon gars…

— De quoi?

— Ben… de l'autre jour quand on était aux cases…

— Ah, ça? C'est cool.

— C'est juste que…

— Il y a pas de problème, je comprends.

— Je veux être sûr que tu…

— Oui.

— Bon, ben…

— Hé! l'interrompt William d'un air étonnamment enjoué. Ils vont bientôt sortir un nouveau jeu en ligne de *Star Wars*!

C'est tout? pense Thomas devant la réaction tout à fait inattendue de son copain. *C'est déjà réglé, comme ça, sans explications? Je l'adore!*

— Ça va être fou, mon gars!

— Mets-en! s'exclame Thomas, soulagé. On va pouvoir être des jedis, tu penses?

— Certain, ou des seigneurs sith!

Puis les deux copains se mettent à discuter joyeusement des personnages qu'ils vont créer; comme quoi, il leur arrive tout de même de trouver d'heureux terrains d'entente. La glace étant maintenant brisée entre les membres de la nouvelle bande, Thomas donne rendez-vous aux trois autres à la fin des cours pour discuter de son précieux projet. Plus qu'intrigué, William bombarde son ami de questions, mais celui-ci lui demande de patienter jusqu'à la cloche.

Deux heures plus tard, ils se retrouvent au même endroit et Thomas dévoile enfin son projet. Comme il l'avait prévu, Karl et William sont tout simplement fous de joie à l'idée d'y participer et chacun prend sa tâche au sérieux.

— Mais ça fait beaucoup de monde à nourrir ! Qui est-ce qui va payer pour tout ça ? demande Karl.

— Ah, t'en fais pas, c'est la résidence qui va s'occuper de la facture. Ma mère m'a dit qu'ils ont un budget pour ça. Et puis, comme je te l'ai dit, mon oncle veut m'aider, alors il fournirait les citrouilles pis la crème gratuitement pour les tartes. Il vous resterait juste à les cuisiner. Tu penses que tes parents vont vouloir ? Ça risque quand même d'être beaucoup de travail supplémentaire.

— Je suis sûr que oui. On pourrait s'y mettre le soir après la fermeture du resto. On aime ça, cuisiner, pis en plus c'est pour une bonne cause !

— Excellent. Donne-moi quand même la réponse le plus tôt possible, OK ? Toi aussi, Will, surtout toi. Sans ta mère, je pense pas qu'on peut réussir.

Les deux garçons acquiescent vivement. C'est ensuite au tour de William de demander des précisions :

— Comme tu veux tourner un film de l'événement, aimerais-tu ça qu'on fasse un vrai montage, avec plusieurs angles de vue comme au cinéma ?

— Certain ! T'as tout ce qui faut comme équipement ?

— C'est clair ! Mon père capote sur la photographie pis le cinéma. Il achète les nouvelles bébelles technos quasiment aussitôt qu'elles sortent!

— Parfait.

— Ernesto, lui, c'est quoi, sa tâche? demande Karl.

— Moi, je suis le bras droit de Thomas, répond le jeune Mexicain.

— Ça veut dire quoi?

— Ça, *amigo,* ça veut dire que je suis l'homme à tout faire.

— Pis son père a une compagnie d'entretien ménager, ajoute Thomas. Il s'est offert pour le nettoyage. Tout le monde a son rôle à jouer!

Les quatre copains se regardent avec un sourire fendu jusqu'aux oreilles.

— Il faut que ça marche, ça serait trop débile! s'exclame William.

Débile? Il serait bien difficile pour quiconque de le contredire.

VINGT ET UN

Après leur *meeting,* les quatre amis se séparent, tout excités, en se promettant de prendre l'organisation du projet au sérieux. Lorsqu'il arrive à l'arrêt d'autobus, Thomas voit Annick, assise sur le banc, qui l'observe d'un air étrange. S'il avait le temps d'y réfléchir, il comprendrait sans doute qu'elle l'attend depuis un bon moment.

— Allô, Thomas.

— Allô.

Court silence où chacun étudie l'autre attentivement.

— J'ai entendu parler de ce qui s'est passé vendredi, je suis vraiment désolée. J'aurais dû savoir qu'ils voulaient te tabasser.

— C'est pas ta faute.

— Est-ce qu'ils t'ont fait mal?

— Sur le coup, mais rien de grave. J'ai même pas eu de marques, en fait. Je suis indestructible.

— C'est vraiment un épais, Marco…, lance Annick à la grande surprise de Thomas.

Intéressant.

— Je vais probablement casser.

Très intéressant.

— Je sais pas quoi dire, répond le garçon.

— Dis rien.

— OK.

La complicité entre les deux est palpable.

— J'en connais un qui s'ennuie beaucoup de toi.

— Ah oui, qui?

— Ben, tu lui as pas encore donné de nom…

— Le p'tit minou! C'est vrai, j'avais complètement oublié!

— Alors, t'as pas demandé à tes parents?

— Non, mais je vais le faire, je te le promets. C'est juste que j'ai déjà demandé quelque chose d'assez majeur récemment, alors faudrait laisser passer un peu de temps.

— C'est correct, de toute façon ils sont pas sevrés. Mais tu pourrais venir le voir, si tu veux.

— Maintenant?

— À moins que t'aies… d'autres chats à fouetter!

Thomas serre les lèvres, et son regard devient un tantinet moqueur.

— C'était un jeu de mots, poursuit Annick.

Le garçon éclate de rire.

— Oui, je sais, vraiment bien réussi! ment-il.

Le malaise de la jeune fille est craquant.

— Alors, tu viens?

— C'est clair.

Sur le chemin, les deux amis meurent d'envie de se tenir la main, mais n'osent pas le faire; ils se contentent de combler ce manque en paroles.

— Est-ce que t'as quand même passé un beau congé? demande Annick.

— Pourquoi «quand même»?

— Ben, malgré la bagarre.

— Oh, vraiment! Le lendemain, moi pis mon ami, on a pris l'autocar en cachette pour aller visiter la ferme de mon grand-oncle. C'était trop parfait comme escapade!

— Comment ça, en cachette? Tes parents le savaient pas?

— Non.

— Pis t'es encore en un seul morceau… Ils sont cool en maudit!

— Pas mal, oui. En tout cas, ça donne vraiment le goût de l'aventure. La nouveauté, c'est pas toujours épeurant!

— Qu'est-ce que tu veux dire?

— Ben, commencer le secondaire dans une autre ville avec tous les changements qui arrivent d'un coup, disons que j'ai pas trouvé ça facile. Mais, là, on dirait que je vois les choses différemment. Et puis, ça aide beaucoup d'avoir rencontré des personnes comme Ernesto… pis comme toi.

La jeune fille sourit intérieurement.

— Je t'ai vu ce midi avec un p'tit Latino. C'est lui, Ernesto ?

— Oui, il est vraiment spécial, ce gars-là, très intelligent. J'avais jamais eu de conversation comme ça avec quelqu'un avant, en tout cas pas avec quelqu'un de mon âge.

— Je sais ce que tu veux dire. On a beau être une bonne gang à l'école, j'ai souvent l'impression que ça tourne en rond. Elles sont rarement sérieuses, nos discussions, pis quand j'aborde un sujet plus profond, on dirait que ça rend le monde mal à l'aise. C'est poche parce que, moi, je suis habituée à parler sans tabou avec ma mère, on se dit tout ! C'est elle, ma meilleure amie, au fond.

— J'aimerais ça, la rencontrer un moment donné.

— Ça tombe bien parce que moi, j'aimerais ça qu'elle te rencontre maintenant.

C'est au tour du garçon de sourire intérieurement.

— Elle est chez vous en ce moment ?

— Oui, elle travaille pas le mardi.

— Cool ! Elle fait quoi comme job ?

— Coiffeuse. Mais, pour en revenir à ton aventure, pourquoi vous êtes allés là-bas en cachette ? Vu que c'est quelqu'un de ta famille, c'est certain que, tôt ou tard, tes parents allaient le savoir, non?

— Ben, c'est juste que j'ai pas voulu prendre le risque que mes parents refusent de me laisser partir tout seul avec un ami qu'ils avaient jamais rencontré. Pis je sais pas pourquoi, mais c'était à ce moment-LÀ qu'il fallait partir, pas le lendemain, pis encore moins la semaine d'après.

— Est-ce que tu partirais avec moi comme ça, sur un coup de tête?

Thomas la regarde et fait semblant d'hésiter.

— Hum... n'importe quand!

Cette fois-ci, ni un ni l'autre ne cache sa joie.

— Tu devais te sentir pas mal libre, cette journée-là...

— T'as pas idée. Ben, peut-être que oui dans le fond, avec ton chum plus vieux.

— Marco? Ses parents sont plus pognés que le pape! On se voit presque jamais en dehors de l'école, pis de toute façon, ma mère me tient à l'œil. Elle veut pas que je fasse les mêmes erreurs qu'elle. Des fois, c'est un peu trop, mais je la comprends; j'ai vu ce que ça donne, des jeunes mal encadrés, pis j'ai pas envie de leur ressembler.

— Est-ce qu'elle a un chum?

— Pas en ce moment. Ma mère tombe en amour facilement, mais ça s'épuise vite. En plus, on dirait qu'elle rend les hommes ultrajaloux, ils finissent toujours par virer fous.

— Dans quel sens?

— Ben, prends le dernier, par exemple: il était tellement convaincu qu'elle le trompait qu'il s'était mis à la suivre partout en voiture. Elle avait beau le rassurer tout le temps, il voulait rien savoir!

— Wow, je pensais que ça se passait juste dans les films, des affaires de même.

— Oh, mon Dieu, si elle te racontait tout ce qu'elle a vécu, tu dirais ça souvent.

— Bon, ben, ça y est, j'ai encore plus hâte de la voir maintenant!

Annick rit.

— Tu seras pas déçu…

Lorsqu'ils arrivent devant l'immeuble, Thomas et Annick empruntent l'escalier en colimaçon pour aller voir directement les chatons. Tous sans exception tètent leur mère, qui se repose, les yeux mi-clos.

— Elle est vraiment *hot,* déclare Annick. Elle s'en occupe bien, de ses p'tits.

— On dirait que le mien a de la misère à téter.

— Le tien? T'as l'air sûr que tes parents vont vouloir, c'est bon. Mais, effectivement, je pense que c'est pour ça qu'il est plus petit que les autres.

— Je me demande s'il va être capable de manger normalement avec sa déformation.

— En tout cas, il miaule comme un champion.

— Il sait comment obtenir ce qu'il veut, intervient la mère d'Annick à travers la moustiquaire. Comme une certaine demoiselle que je connais.

La femme de trente-deux ans, dont les gènes ont sans contredit été majoritairement responsables de la beauté de sa fille, ouvre la porte et met un pied à l'extérieur.

— Plutôt beau gosse, celui-là ! Tu me le présentes ou je dois l'appeler « beau gosse » ?

Annick roule les yeux, mais sourit aussitôt.

— Myriam, Thomas. Thomas, Myriam.

Le garçon est surpris par la jeunesse apparente de la dame, mais n'en laisse rien paraître.

— Bonjour, madame ! s'exclame-t-il en tendant sa main à la jolie dame. Heureux de faire votre connaissance !

— Adorable. J'en veux un comme ça !

— Maman, franchement !

— Quoi ?

Myriam serre doucement la main de Thomas et lui fait un clin d'œil.

— Mais on se met d'accord pour que tu me tutoies, OK ? Et pas de « madame ».

— D'accord.

— Alors, c'est de toi que ma fille parle tous les jours depuis une semaine…

Annick rougit instantanément.

— Ben là… pas tant que ça! objecte-t-elle.

Thomas fait comme si de rien n'était.

— En bien, j'espère, se contente-t-il de dire d'un air innocent.

— Oh, si tu savais! répond théâtralement Myriam en ignorant le regard suppliant de sa fille.

— Bon, bien, j'avais hâte de vous présenter, mais je commence à regretter, là…

— Mon ange! Est-ce que le succulent macaroni à la viande de ta mère, cuisiné avec tant d'amour, pourrait te convaincre que tu as pris la bonne décision?

— Pfft, à peine!

— Si j'ajoutais des biscuits aux pépites de chocolat chauds et moelleux au menu, tout juste sortis du four, comme tu les aimes?

— Je pense qu'elle va accepter l'offre! blague Thomas en faisant semblant d'appuyer sur un bouton à la place d'Annick.

— Tu vois?! s'exclame Myriam. Je savais qu'il avait un regard intelligent, celui-là. Appelle tes parents, toi, je te kidnappe pour le souper!

Puis, après le gros câlin que la mère exige de sa fille, Thomas les suit toutes les deux à l'intérieur. Leur camaraderie est évidente, et il se plaît beaucoup à les regarder interagir. Comme chez lui, l'humour est très présent et le côté joueur de Myriam lui rappelle celui de sa propre mère (lorsque son humeur le permet). Loin de réaliser que plus d'une décennie sépare les deux femmes, il les voit se rencontrer et devenir de bonnes amies. Après tout, selon ses observations récentes, sa mère ne semble pas jouir d'activités sociales tellement satisfaisantes.

— Est-ce que je peux utiliser la salle de bain? demande Thomas après avoir laissé un message à ses parents.

— Bien sûr, mon grand. Elle est au fond du couloir à gauche.

— Merci!

Comme le reste de l'appartement, la salle de bain est petite et la finition, plutôt modeste: le strict minimum, comme on dit. Les lieux sont cependant décorés avec tellement d'amour que les deux complices lui paraissent riches. D'ailleurs, quand il était en deuxième année, un de ses copains habitait dans un endroit semblable et Thomas n'y voyait que des avantages avec ses yeux d'enfant, soit la proximité des amis ainsi que la possibilité de visiter les voisins sans même avoir à sortir dehors; une perception innocente qui avait beaucoup touché sa mère à l'époque.

Tout au long du souper, Thomas se fait bombarder de questions auxquelles il se fait un plaisir de répondre. Réciproquement, la candeur avec laquelle Myriam se livre à lui l'étonne grandement : jamais il n'a côtoyé un adulte qui révèle à ce point ses sentiments. Si seulement ses propres parents en faisaient autant ! Le garçon se console alors en repensant à sa récente conversation avec sa mère, se disant que la glace est maintenant brisée et que de tels échanges se produiront sans doute plus fréquemment à l'avenir.

Annick, pour sa part, semble garder autour d'elle une aura de mystère, préférant écouter que parler d'elle-même. Elle prend d'ailleurs un malin plaisir à découvrir Thomas, persuadée que sa mère partage ce sentiment. Lorsqu'il leur fait part de son projet, elles ressentent beaucoup d'admiration devant la précocité de ses réflexions, échangeant quelques regards impressionnés pendant son récit. Elles sont particulièrement touchées par la situation de sa grand-mère ainsi que par la volonté de son petit-fils de lui insuffler un peu de magie avant que la maladie ne progresse davantage.

Lorsque Diane appelle Thomas après le repas, c'est avec une certaine déception qu'Annick et sa mère lui disent au revoir. Myriam l'invite à revenir quand il veut et laisse sa fille le raccompagner à la porte.

— Tu me plais bien, Thomas Hardy, se permet de dire Annick quand ils se retrouvent seuls dans l'entrée.

Inspiré par le moment, le garçon prend sa main dans la sienne et y dépose un baiser délicat. Un courant électrique passe entre eux. Thomas sourit puis, hypnotisé, il s'en va sans dire un seul mot. Tandis qu'il marche vers la voiture de son père, il secoue la tête comme pour se réveiller, le souvenir tout frais des yeux pétillants d'Annick le rassurant sur la pertinence de son geste.

VINGT-DEUX

Comme Thomas l'avait prédit, le reste de la semaine s'écoule sans aucune nouvelle des résidants quant à son projet. Chaque soir, il pose la même question à sa mère et reçoit le même genre de réponses : « Sois patient, mon grand, on parle de personnes âgées ici, pas de p'tits vites comme toi. » À l'école, ses amis et lui continuent de développer leur nouvelle dynamique de groupe, et le sentiment d'appartenance crée un effet des plus positifs, surtout pour William et Karl qui semblent soudainement sortir de leur coquille. William, même s'il lui arrive encore de dérailler sur des sujets enfantins, dose beaucoup mieux ses longues tirades et évite d'entrer trop dans les détails. Pour sa part, Karl apprécie, de toute évidence, l'intérêt accru dont il fait l'objet et arrive à s'ouvrir davantage. Il faut dire qu'Ernesto semble s'être donné pour mission de le faire parler et trouve toujours une manière de l'inclure dans les discussions.

Quant à Annick et à Thomas, un certain malaise semble les habiter, puisqu'ils n'osent plus afficher leur amitié en public. Comme Dany a monté la plupart des membres de sa bande contre le jeune Hardy et qu'Annick vient tout juste de mettre fin à sa relation avec Marco, il existe entre Thomas et elle une sorte d'entente tacite: laisser retomber la poussière avant de se rapprocher de nouveau. Mais pour les plus fins observateurs, beaucoup de sourires et de regards complices sont échangés subtilement. Ils se rejoignent pour l'instant par la pensée (ou dans leurs rêves!) et la simple perspective de se croiser dans un couloir, dans la cour ou à la cafétéria est devenue une véritable motivation pour se lever le matin.

Le vendredi soir, alors qu'il revient chez lui en compagnie d'Ernesto, Thomas est accueilli à la porte par ses grands-parents.

— Mamie! s'exclame-t-il en serrant la dame dans ses bras.

— Mon lapin!

— Ah ben, si c'est pas mon Thomas! Toujours garçon? lui lance comme d'habitude son grand-père Marcel.

— Toujours garçon!

Diane, qui observe la scène avec un grand sourire, intervient en feignant l'inquiétude:

— Ça pourrait bientôt changer, imaginez-vous donc que monsieur a soupé chez une p'tite copine cette semaine.

— Oh, pardon ! poursuit Marcel. On rit plus, là !

— Franchement, c'est juste une amie…

— Pour l'instant ! se permet Ernesto avec son fameux triplé de sourcils.

Thomas hausse les épaules et donne une ferme poignée de main à son grand-père. Après les présentations, le groupe se rend au salon où un petit goûter les attend. Le garçon comprend aussitôt : il y a, dans les petits canapés de fantaisie et le punch aux fruits, la promesse d'une excellente nouvelle. Comme de fait, sa grand-mère Florence lui annonce sans tarder que son projet a été accepté avec un enthousiasme débordant et qu'environ les trois quarts des résidants (soixante-deux têtes blanches, pour être précis) ont manifesté l'envie d'y participer. Le reste n'est qu'une question de formalités. Fous de joie, les deux amis sautillent comme des kangourous surexcités et se roulent par terre devant les adultes amusés.

— Je te l'avais dit, que ça fonctionnerait, *amigo* ! s'écrie Ernesto.

— Hahaha ! Ça va être tellement cool ! s'exclame Thomas en dansant.

Diane tente de calmer un tantinet son fils :

— Il va falloir trouver une date maintenant et organiser tout ça comme il faut.

— Je suis capable de m'arranger, *mom*. J'ai déjà formé mon équipe d'experts.

— D'experts, hein?

— Tu doutes? demande Thomas en s'arrêtant sec.

— Pas du tout, le rassure Diane. Je veux juste être bien certaine que tu prends ça au sérieux. C'est une activité qui va mobiliser beaucoup de gens, et on ne peut pas se permettre trop de pépins. Il faut aussi que tu comprennes que les résidants n'ont pas vingt ans et qu'ils ne pourront pas patienter long-temps. Beaucoup ont des routines bien établies, alors il va falloir que ça roule!

— Je sais, je sais… On va faire ça en pros, promis juré!

— Je te fais confiance. En passant, j'ai quelques questions techniques à poser à la mère de William, tu me donneras son numéro.

— Dix quatre!

Madame Hardy dépose une bise sur le front de Thomas et lève son verre.

— À l'impressionnante initiative de mon jeune fils!

— À Thomas Hardy! ajoute Ernesto.

— *Cheers!* lancent en même temps les deux grands-parents.

Tous les cinq se mettent ensuite à discuter tout en grignotant les délicieuses entrées, puis

vers cinq heures, les adultes partent à pied chercher Jasmine à la garderie. Thomas et Ernesto
écrivent alors un courriel à leurs deux copains
pour leur annoncer la bonne nouvelle.

Sujet : Victoire ! ! ! ! !
De : Thomas Hardy 25/09/11
À : poke_man@hotmail.com ; kingkarl@live.ca

Salut, les gars, ON A LE FEU VERT ! ! ! WOOHOO ! ! ! ! ! ! ! ! !
sidhjnmsd eiuyde dfwegfygferf fftwegfwewefe
fowefo ! ! ! ! ! ! ! ! ! ! ! ! ! Ça serait vraiment cool de se voir les
quatre demain pour commencer à préparer ça. ON VA
DONNER À CES P'TITS VIEUX-LÀ LA PLUS BELLE SOIRÉE
DE LEUR VIE, VOUS ENTENDEZ ? ? ? LA PLUS COOL, LA
PLUS FOLLE, LA PLUS MAGIQUE ! ! ! hswgfrvdsvgsd bnerfbyg
trg6gyu ghdfgyergteuigbn ionhuidfghdf dfbjkvfuvyughervb
bgyubgybvg v bgfyuergyuergferfuiergfhb righrg
jerehyuegferf JE CAPOTE ! ! !

Je vise la fin de semaine avant l'Halloween en
passant…

RÉPONDEZ-MOI LE PLUS VITE POSSIBLE
GOGOGOGOGOGO POWER RANGERS ! ! ! ! ! :D

Sujet : Re : Victoire ! ! ! ! !
De : Willy Will 25/09/11
À : super_tom@gmail.com ; kingkarl@live.ca

TROP DÉBILE ! ! ! ! ÇA ME VA POUR DEMAIN MEC,
VOUS POUVEZ VENIR CHEZ MOI JE VAIS VOUS MONTRER
L'ÉQUIPEMENT VIDÉO. C'EST COOL, MA MÈRE A
PRATIQUÉ LE DESIGN POUR ALLER PLUS VITE PIS EN
PLUS ELLE S'EST TROUVÉ CINQ PERSONNES POUR
L'AIDER. J'EN REVIENS PAS QU'ON VA PARTICIPER À UNE
AFFAIRE AUSSI FLYÉE, C'ÉTAIT TROP LA MEILLEURE IDÉE
AU MONDE ! !

GOOD JOB TOM ON SE VOIT DEMAIN À+

Sujet : Re : Re : Victoire ! ! ! ! !
De : Karl Langlois 25/09/11
À : poke_man@hotmail.com ; super_tom@gmail.com

C'est vraiment cool, je viens de le dire à mes parents
et ils sont prêts n'importe quand ! Pas sûr si je peux venir
demain parce que c'est la fête à ma sœur mais je vais
essayer de me libérer. En passant, Ernesto le sait-tu ? Je
vois pas son adresse courriel.

Sujet : Re : Re : Re : Victoire ! ! ! ! !
De : Thomas Hardy 25/09/11
À : poke_man@hotmail.com ; kingkarl@live.ca

Oui je suis avec lui en ce moment. On va pouvoir être chez Will au début de l'après-midi.

Bon ben c'est réglé, j'ai trop hâte à demain les boyz !

WOOHOO !!! x 37 463 762 564 239 875

Lorsque Thomas l'appelle, Claude semble emballé par la nouvelle. Il réagit au départ comme si l'événement allait avoir lieu le soir même et en perd tous ses moyens. L'écoutant se questionner à voix haute sur l'aspect logistique, le garçon le rassure aussitôt et le prie de prendre tout le temps qu'il lui faut. Finalement, le fermier demande un délai de deux semaines, ce qui convient parfaitement au jeune organisateur.

Après le souper, Thomas abandonne Ernesto à la curiosité inépuisable de ses parents pour se rendre seul à l'ordinateur. Il écrit alors un message à Annick pour lui raconter les événements de la journée.

Sujet : Bonne nouvelle !
De : Thomas Hardy 25/09/11
À : anouck98@yahoo.fr

Hola ! Devine quoi ?

MON PROJET VA SE RÉALISER!!!

Je suis vraiment trop heureux en ce moment et il fallait que je le partage avec toi! C'est plate qu'on puisse pas vraiment se voir à l'école, mais je comprends. Chaque chose en son temps, comme on dit! Mais peu importe ce qui va arriver, t'es la fille la plus cool que j'ai rencontrée dans ma vie et j'aime beaucoup jaser avec toi. Bon ok là j'arrête parce que ça devient un peu trop quétaine...

Donne un câlin à mon futur chaton pour moi! héhé...

Plus tard dans la soirée, après avoir regardé un film en famille, Thomas et Ernesto sortent dans le jardin pour allumer un feu. Armés de leurs fourchettes à fondue, ils font dorer des guimauves et discutent en regardant les flammes danser.

— C'est fou comme je suis bien en ce moment! s'exclame Thomas en soufflant sur sa friandise. Je pense même que ça bat mes plus beaux Noëls. Genre... on dirait que tout s'arrange comme je veux.

— Imagine, tu m'as dit qu'il y a pas si longtemps, c'était exactement le contraire. Comme quoi il ne faut jamais se décourager.

— Mets-en.

— Profites-en bien, *amigo,* et rappelle-toi toujours ce moment. Les choses peuvent changer très vite.

Thomas analyse le regard de son ami et y perçoit une ombre de mélancolie.

— C'est bizarre, parfois on dirait un vieux sage quand tu parles.

Ernesto sourit.

— J'ai dû grandir rapidement.

— Ta sœur jumelle, c'est ça? blague Thomas en faisant allusion à la fausse histoire du train de marchandises.

Mais Ernesto ne semble pas l'avoir entendu. Il sort de sa bulle après quelques instants.

— J'ai sommeil, dit-il en bâillant.

— Tu veux qu'on rentre?

— Bientôt.

Puis les deux amis fixent le feu en silence, pensifs. Avant d'aller dormir, Thomas se rend une dernière fois à l'ordinateur pour vérifier ses courriels. Un message l'y attend et, lorsqu'il clique sur la petite boîte, son visage s'illumine.

Sujet : Re : Bonne nouvelle !
De : Annick Tremblay 25/09/11
À : super_tom@gmail.com

C'EST PAS QUÉTAINE C'EST FULL CUUUUUUTE ! ! ! Je suis vraiment contente pour toi, t'as pas idée ! Tu le mérites en tout cas ! Moi aussi, j'aime jaser avec toi, J'MENUUUUUUIIIE ! ! ! Penses-tu qu'on pourrait se voir bientôt en dehors de l'école ? Il y a rien qui nous en empêche, tu sais… Tu pourrais venir encore chez moi ou moi, je pourrais aller chez toi (si tu veux bien sûr)… En tout cas, je t'envoie plein d'énergie positive, je suis certaine que ça va bien se passer… J'ai vraiment, vraiment hâte de voir la vidéo lol !!! JE TIENS TON CHATON DANS MES BRAS EN CE MOMENT ET IL RONRONNE COMME UNE P'TITE MACHINE !!! TROP TROGNON !!!!

À bientôt j'espère ! xx
Annick

VINGT-TROIS

La maison de William est un drôle d'endroit. Véritable antre de la technologie, chacune de ses pièces (y compris la salle de bain!) possède son interphone pour permettre à ses occupants de communiquer entre eux sans crier. Il y a dans la demeure quatre téléviseurs haute définition ainsi que trois ordinateurs dernier cri, sans compter tous les nouveaux gadgets d'Apple. Pour quiconque n'est pas au courant du penchant collectionneur du paternel, la décoration semble avoir été réalisée par l'unique enfant du couple tellement il y a de figurines et de modèles réduits exposés un peu partout.

Denis, le père de William, est informaticien pour une grosse compagnie. Évelyne, sa mère, est couturière à son compte en plus d'être maquilleuse. Inutile de dire que son fils a gagné plus d'un concours de costumes depuis sa tendre enfance. Ses plus belles créations habillent même quelques mannequins qui, ici et là, ajoutent à l'excentricité du décor. Il serait difficile pour un jeune qui entre dans cette maison de ne pas ressentir un brin de jalousie mais, comme cela s'avère plutôt rare, cela n'a jamais réellement constitué un problème. Les parents de William sont d'ailleurs extrêmement surpris et enthousiastes d'accueillir aujourd'hui non pas un, mais bien trois camarades de leur fils.

Après les avoir fièrement présentés à son père et à sa mère, William invite ses amis dans sa chambre qui, comme la plupart des pièces de la maison, est bourrée de jouets et d'objets de collection. La seule différence : ce ne sont pas les univers de *Star Wars* ni de *Star Trek* qui y sont représentés, mais bien celui de ses précieux pokémons. Thomas est le premier à faire un commentaire :

— C'est tellement plein de jouets dans ta chambre, c'est hallucinant ! J'ai comme l'impression d'être au Toys « Я » Us avec cinquante piastres pis pas savoir quoi prendre...

Les deux autres garçons se mettent à rire.

— Je suis sérieux, poursuit Thomas, ça m'est arrivé, il y a une couple d'années. J'étais incapable de décider quoi acheter avec mon certificat-cadeau, je pense qu'on est restés là deux heures, moi pis mon père. Ben, là, j'ai l'impression que si je voulais choisir des figurines pour jouer avec, ça ferait la même chose.

— Mais c'est vraiment en ordre par contre, remarque Ernesto. C'est ça, le plus impressionnant. Ou le plus épeurant…

William ajuste ses lunettes et admire l'esthétique de sa collection.

— Ouin, elles sont toutes classées par ordre alphabétique.

Ses copains se regardent avec des yeux gros comme des balles de golf.

— T'es sérieux ? demande Thomas.

William acquiesce avec satisfaction et offre à ses invités une visite guidée de tous les objets qui se trouvent dans la pièce. Après quelques minutes, les garçons s'en lassent inévitablement et se mettent d'accord pour passer aux choses sérieuses. À l'ordre du jour : préparer la mise en scène d'une partie toute particulière du bal pour son enregistrement et sa diffusion.

Comme Denis a accepté de leur fournir ses deux caméras digitales et que le téléphone de William possède cette fonction, l'événement pourra être filmé selon trois perspectives différentes. William sera responsable de la caméra qui prendra le plan d'ensemble de la salle, tandis que Thomas et Ernesto se promèneront pour capter des images plus près de l'action. Quant à Karl, il s'occupera avec sa mère de servir le repas aux résidants durant la soirée.

— Ça serait cool que je sois habillé en serveur, propose ce dernier, comme pour un banquet officiel! J'ai encore mon costume chic du mariage de ma sœur. Si j'enlève le veston, ça va être parfait.

Thomas lui donne aussitôt son approbation:

— Super bonne idée, ça va donner un look sérieux à l'affaire. En plus, je sais pas pourquoi, mais je suis vraiment curieux de te voir dans un habit comme ça.

— Yé! s'exclame Karl, plus que comblé de contribuer au projet.

— Mon père peut nous donner des trucs pour bien filmer, leur assure William. Il a suivi des cours en photographie pis en cinéma à l'université. S'il était pas aussi calé en informatique, il serait probablement devenu réalisateur ou quelque chose du genre.

— Ça serait bon, ça, répond Ernesto. Et pour le montage, tu crois qu'il voudra le faire?

— Oui, c'est sûr! On va probablement s'y mettre le lendemain pour que le film puisse être présenté à l'Halloween.

— Je tiens à être présent par contre, précise Thomas. J'aimerais apprendre les techniques pour mes futurs projets.

— Pas de problème, on fera ça ici. L'ordi de mon père, c'est une vraie bombe, il est conçu exprès pour des programmes du genre.

— Wow! s'exclame Thomas. Ça va être encore plus *hot* que je l'avais imaginé…

Les quatre copains poursuivent ainsi leur séance d'organisation, choisissant les meilleures idées proposées jusqu'à ce que le plan leur semble parfait. Bien que chacun mette la main à la pâte, il reste clair pour tous que Thomas a la charge du projet et il s'arrange d'ailleurs pour (subtilement) le leur rappeler. Lorsque Karl les quitte pour se rendre à la fête d'anniversaire de sa sœur, les trois amis qui restent demandent à Denis de leur montrer comment bien utiliser les caméras, puis passent en mode divertissement avec la quantité phénoménale de jouets, de films et de jeux vidéo de William.

C'est le lendemain, alors qu'il regarde les nouvelles parutions de ses abonnements YouTube, que Thomas précise enfin son concept: tant qu'à filmer et à mettre ses films en ligne, pourquoi ne pas faire de sa chaîne personnelle une sorte de *Livre des records Hardy,* version moderne? Simple, accessible et gratuite, elle sera carrément son outil de diffusion, son répertoire à lui pour faire connaître ses exploits. Bondissant comme un faon qui découvre la vie, Thomas part aussitôt rejoindre sa mère qui lit au soleil sur le balcon.

— *Mom!* J'ai trouvé! Hahahihihohohaha!!!

Diane dépose son livre et écoute son fils surexcité lui raconter ses plans.

— Tu crois qu'ils vont être aussi motivés même si c'est pas aussi prestigieux qu'un record Guinness? demande-t-il dans un instant de doute.

— Thomas, penses-tu vraiment que c'était la raison principale pour laquelle ils ont accepté? Crois-moi, même sans le côté officiel, c'est probablement le plus grand plaisir qu'ils auront eu depuis un bon moment.

— Yé! Qu'est-ce que tu penses du 29 octobre?

— Hum, ça nous laisse tout le temps qu'il faut pour bien organiser ça…

— J'ai même pensé à quelque chose. Est-ce que tu crois que les résidants du centre aimeraient ça fabriquer des décorations pour l'occasion?

— Quel genre de décorations?

— Je sais pas, moi… des fleurs, des feuilles, des lianes, des choses qu'on trouve dans la nature. On pourrait aussi mettre plein de plantes, des vraies ou des fausses, pour que ça ressemble à une forêt.

— C'est pas bête, il faudrait que je demande aux gens si ça les intéresse.

— Au pire, ça pourrait faire de bons ateliers de bricolage. Tu m'as dit que vous en offrez déjà, alors aussi bien qu'ils servent à quelque chose!

— Effectivement, ça va sûrement les motiver encore plus. Ce serait super qu'ils puissent récupérer leurs p'tits chefs-d'œuvre par la suite. Avec une photo de groupe, ça ferait un beau souvenir pour mettre dans leurs chambres.

— Wow, c'est génial comme idée !

— Tu retiens pas du voisin, mon chéri, répond Diane, pince-sans-rire.

Sur ce, Thomas lui donne une bise et court appeler William pour lui faire part de ses plans. Bien que la mère de ce dernier entre dans la saison forte de son métier de couturière, c'est avec grand plaisir qu'elle inscrit la date officielle à son agenda. Elle en profite aussi pour rassurer Diane sur quelques détails techniques qui l'inquiétaient, et les deux mamans finissent par discuter pendant presque une heure. Décidément, les pièces du casse-tête sont comme aimantées tellement elles s'assemblent toutes seules. Comment ne pas parler de destin dans de telles circonstances ? Le sourire de Thomas est si large qu'il lui fait presque mal. Avant de raccrocher, William interpelle son ami :

— Hé, Tom !

— Quoi ?

— Merci, mec.

— Merci pour quoi ?

— De m'inclure dans ton projet… pis de me faire confiance.

Ces paroles, exprimées avec tant de sincérité et de profondeur, prouvent d'une manière définitive que la hache de guerre (en plastique) est bel et bien enterrée.

— C'est moi qui te remercie, mon gars. Grâce à toi pis tes parents, le projet monte d'une méchante coche.

Silence au bout du fil.

— En tout cas… on se voit demain à l'école, Will.

— Oui, à demain.

Inspiré par ce merveilleux sentiment d'allègement, le jeune Hardy s'étend sur le divan du salon pour réfléchir un moment. Il y a beaucoup de raisons de célébrer, mais sa bonne fortune (bien que méritée) est si grande qu'elle fait ressortir davantage la petite tache noire qui reste sur son cœur et qui l'empêche d'apprécier entièrement la situation. Ne voyant d'autre choix que d'y remédier, Thomas enfile son blouson et part en direction d'une demeure qui lui est très familière.

Une marche d'une dizaine de minutes à travers les petites rues du quartier l'emmène à la maison d'Olivier, endroit où il n'a pas mis les pieds depuis belle lurette. En jetant un coup d'œil tout au fond de la cour, le garçon remarque que la cabane qu'ils avaient construite ensemble dans l'immense chêne a été démontée, les planches gisant pêle-mêle au pied de l'arbre. Comme si cette vision symbolisait leur amitié déchue, Thomas est aussitôt submergé par les souvenirs des scénarios épiques que cet abri rudimentaire leur inspirait quand ils s'y retrouvaient, des inondations infestées de requins jusqu'aux guerres médiévales.

Lorsqu'il passe devant la fenêtre du salon, il y aperçoit, passant la vadrouille, la mère d'Olivier. C'est cette dernière qui ouvre la porte.

— Bonjour, Francine. Est-ce qu'Olivier est là ? demande Thomas avec un certain malaise.

La mère de son ancien ami semble aussi mal à l'aise, et elle sourit uniquement par politesse. Elle hésite un instant avant de répondre :

— Attends ici, je vais aller voir s'il peut te recevoir.

Thomas, un peu étonné par l'attitude de la dame, reste immobile tandis que le rythme de son cœur accélère. Elle revient au bout d'une minute avec la même expression sombre.

— Je suis désolée, mais c'est pas le bon moment.

— Oh, fait Thomas en regardant le sol, se doutant de la raison pour laquelle Olivier ne veut pas le voir.

— Il est en peine d'amour, lui chuchote la femme. Ça lui fait très mal…

Vraiment? se demande alors Thomas. *À cause de moi?* Le regard légèrement réprobateur de Francine répond plus que clairement à sa question intérieure.

— Ah, OK, se contente-t-il de répondre. Peux-tu lui dire que je suis passé et que… ben, que je suis désolé?

Cette fois, le sourire de la dame semble un peu plus sincère.

— Je vais lui faire le message, le rassure-t-elle.

— Merci.

Tandis qu'il s'éloigne, elle l'interpelle de nouveau :

— Laisse-lui juste un peu de temps… Je suis certaine que vous pourrez vous parler bientôt et que tout va s'arranger.

Thomas acquiesce sans enthousiasme et se remet à marcher. Certaines choses devront attendre, semble-t-il. La tête basse et les mains dans les poches, le garçon flâne dans son quartier jusqu'au souper, l'âme lourde de regrets.

VINGT-QUATRE

29 octobre 2011, six heures trente-sept du matin. Les yeux de Thomas sont ouverts depuis un bon moment déjà et ses pensées virevoltent. Son sommeil, si on peut l'appeler ainsi, n'aura duré que quelques heures au total. Le garçon ne ressent par contre aucune fatigue, tellement il est excité : les fourmis n'ont pas seulement envahi ses jambes, mais construit des bases militaires dans tout son corps. Étendu sur le dos avec les mains derrière la tête, il visualise le déroulement de la journée.

Jusqu'à présent, tout s'est passé sans pépin. La semaine précédente, Claude a livré ses citrouilles et sa crème fraîche au restaurant des Langlois où les parents de Karl ont cuisiné une vingtaine de tartes. Ils ont d'ailleurs décidé de partager la facture du buffet avec la résidence en tant que commanditaires de la soirée. Idem pour l'entreprise d'entretien ménager de monsieur Ramirez, qui offre ses services gratuitement en échange d'un peu de publicité. Comme promis, le père de William a montré aux trois caméramans en herbe comment filmer l'action pour un résultat plus professionnel. Ces derniers ont même réclamé un deuxième cours, tellement ils ont apprécié l'expérience ainsi que les vastes connaissances cinématographiques de Denis.

Toujours sans nouvelles d'Olivier, Thomas a réussi à mettre cette histoire de côté tout en se jurant de tirer les choses au clair avec lui un jour ou l'autre. Durant le dernier mois, il s'est concentré davantage sur ses études car, en plus d'avoir pris un peu de retard dans ses travaux, il a réalisé que ceux-ci l'aidaient à mieux supporter l'interminable attente de la fameuse date. La vie à l'école s'est d'ailleurs grandement améliorée, la bande d'amis maintenant bien soudée lui procurant un excellent soutien moral. Son amitié avec Annick continue aussi, même s'ils ne se sont toujours pas revus en dehors du collège (devoirs, obligations familiales, grippe, etc.). Ils se parlent régulièrement durant la période du dîner et après l'école, avant que Thomas ne prenne l'autobus. Hormis quelques regards menaçants lorsqu'ils se croisent, Marco et Dany le laissent tranquille et la tension avec eux diminue de jour en jour.

Fait cocasse, Thomas a finalement reçu une lettre du professeur de mathématiques en réponse à la sienne. Elle est affichée dans sa chambre, sur le babillard qui se trouve au-dessus de son bureau de travail.

Monsieur Hardy,

Pardonnez-moi ma réponse tardive, la vie d'un enseignant n'est pas toujours de tout repos. J'ai beaucoup réfléchi à vos propos et en suis venu à la conclusion que j'ai été un peu trop sévère dans mon approche disciplinaire.

J'ai laissé quelques événements qui ne vous concernaient en rien obscurcir mon humeur ce matin-là et j'admets, étant donné la banalité du retard, que le geste approprié aurait été de vous laisser une chance.

Je vous présente donc mes excuses sincères, en espérant que vous les accepterez.

Meilleures salutations,
Guy Meunier

Dire qu'il s'agit pour Thomas d'une victoire serait une affirmation juste mais incomplète : la lettre lui rappelle, chaque fois qu'il la relit, que même les adultes en apparence rigides sont des êtres humains à part entière, capables à la fois de faire des erreurs et de les reconnaître (sauf peut-être monsieur Sigouin, qui semble provenir d'une planète lointaine, triste et sombre). Ce matin est d'ailleurs le premier où le garçon ne s'arrête pas devant le babillard pour contempler le trophée de papier, son cerveau étant trop occupé à passer et repasser le film de l'événement à venir.

Comme le bal débutera vers seize heures et que Thomas désire prendre part à chaque étape de la préparation, il a été convenu que sa mère et lui se présenteront à la résidence dans la matinée. Ernesto partira avec eux tandis que William, Karl et leurs parents arriveront seulement quelques heures à l'avance pour remplir leur rôle respectif. Malheureusement, Xavier Hardy ne revient du sé-minaire auquel il participe que le lendemain et ne pourra donc pas être présent, ce qui attriste quelque peu son fils. Il prend cependant la peine d'appeler ce dernier pour lui souhaiter bonne chance.

— Allô ?

— Salut, mon homme. C'est papa.

— Hé ! Ça va ?

— Oui, on peut dire ça. Ce n'est pas le colloque le plus passionnant auquel j'ai assisté dans ma vie, mais la bouffe est bonne. Et toi, prêt pour ton grand jour ?

— Je pense bien. C'est un peu stressant, il y a beaucoup de choses à organiser, pis j'ai peur que ça tourne mal, qu'un pépin vienne tout gâcher...

— Thomas, ça ne sert pas à grand-chose d'anticiper le pire, concentre-toi plutôt sur ce que tu peux contrôler à la place. En passant, ta mère m'a dit que tu faisais bien ça, je suis pas mal impressionné. Bon, faut dire que tu ne retiens pas du voisin...

— Maman a dit la même chose.

— Ah bon ? Elle faisait probablement référence à moi, haha !

Thomas sourit.

— Non, je pense pas. Vous pourriez régler ça au Uno demain pour déterminer c'est qui, le principal responsable de ma débrouillardise.

Xavier éclate de rire.

— Tu sais très bien que ta mère a toujours raison.

— Oui, je le sais.

— Bon, eh bien, je dois y aller, je t'appelais juste pour te dire « merde ».

— Hein ? Me dire « merde » ?

— Ça veut dire « bonne chance », ça vient du monde du spectacle.

— Euh... OK.

— Allez ! Passe une belle journée et reste positif, tout va bien aller ! On se voit demain pour célébrer, *all right* ?

— C'est d'ac, *pops, adios* !

L'appel, en plus de rassurer Thomas, lui insuffle une bonne dose de confiance. Il accomplit sa routine matinale avec un pep additionnel en attendant l'arrivée d'Ernesto.

À dix heures pile, Diane et les deux garçons sont déjà dans la grande salle de réception et disposent les nombreuses tables et chaises avec quelques préposés. Les grands-parents de Thomas viennent aussi faire leur tour en bas pour les aider un peu mais, malgré leurs bonnes intentions, ils s'épuisent rapidement et se contentent finalement d'observer les travaillantes petites abeilles et de leur faire un brin de jasette.

— J'ai une idée ! s'exclame Ernesto. Pourquoi on ne placerait pas les tables en cercle à la place ?

— C'est bon, ça ! répond aussitôt Thomas comme si son cerveau était lié à celui de son ami. Ceux qui sont fatigués ou qui ont trop faim pourront quand même continuer à regarder les autres danser. Ça va aussi nous permettre d'avoir une caméra au centre. Comme ça, elle sera en plein milieu de l'action !

— Tu as tout compris, *amigo*! Et on va pouvoir se promener facilement dans les allées.

Les deux complices se tapent dans la main. Diane, une chaise sous chaque bras, s'arrête sec.

— Hé, minute, les p'tits snoreaux! Ça ne vous aurait pas tenté de décider ça avant qu'on ait presque fait la moitié du travail?

— *Mom,* ça va prendre cinq minutes, déplacer celles qu'on a déjà sorties. Allez! Faut que ça roule!

Diane rouspète mais sourit secrètement, puis chacun se remet au travail. Lorsqu'ils ont terminé la disposition de la pièce, ils y ajoutent les décorations confectionnées par les résidants et dont la qualité surprend les deux garçons. Il y a des fleurs aux couleurs et aux formes variées, des papillons gigantesques, de longues ribambelles de papier accrochées un peu partout pour simuler des branches et des lianes, un assortiment de masques tribaux, etc. Avec l'ajout de nombreuses plantes, ramassées un peu partout dans l'immeuble, ainsi que quelques ampoules vertes et bleues, la vision de Thomas prend vie: avec les néons éteints, la salle de réception devient une véritable forêt enchantée.

Évelyne et ses assistantes arrivent en début d'après-midi, puis se rendent aussitôt aux chambres des participants pour entamer les métamorphoses. Elles sont suivies de près par la famille Langlois qui, après avoir bavardé de choses et d'autres avec Diane, commence à préparer le buffet. L'odeur de leur cuisine donne tellement l'eau à la bouche aux jeunes travailleurs affamés qu'ils ne peuvent s'empêcher de goûter quelques plats en cachette.

Vers quinze heures, alors que la salle semble prête à accueillir les résidants, tout est en place à l'exception d'un minuscule détail : toujours pas de nouvelles de William et de son paternel, transporteurs (et opérateurs !) du précieux cargo technologique qui captera l'événement et lui permettra d'être vu par des milliers d'internautes. Diane, qui ressent l'anxiété décuplée de son fils, tente pourtant de le rassurer :

— On se calme, on respire… Je suis certaine qu'ils ont rencontré un peu de trafic, ne t'en fais pas.

Elle regarde sa montre et colle sur ses lèvres une moue rassurante.

— Il reste encore assez de temps… et puis ils auraient téléphoné s'il y avait un problème, non ?

— Vois-tu ça, s'imagine tout haut Thomas, ils viennent pas et on peut pas faire notre film ! Ni mettre la musique appropriée !

— Arrête ! Tu me stresses ! Arrrghh !

Diane tourne les talons et s'occupe pour se changer les idées.

Une vingtaine de minutes plus tard, Évelyne rejoint le groupe pour donner son feu vert et remarque immédiatement l'absence de sa petite famille. Elle tente alors d'appeler les deux retardataires sur leurs cellulaires, mais sans succès, puis Thomas l'accompagne dehors où ils attendent nerveusement leur arrivée.

— Ce n'est pas dans leur habitude, dit-elle en scrutant l'horizon, ils sont tellement ponctuels que j'ai toujours pensé qu'ils avaient une horloge logée dans le cerveau.

— J'avoue. Même sans regarder sa montre, William sait toujours quand c'est le temps de monter aux classes.

— J'espère qu'il n'est rien arrivé de grave !

— Hum… moi je pense que je sais ce qui est arrivé…

La dame le regarde avec des yeux inquiets qui exigent une explication.

— LEUR AUTO ! s'exclame Thomas, tout sourire, en pointant du doigt la minifourgonnette qui approche.

Soulagée, Évelyne envoie la main à ses deux hommes et court les accueillir.

— Qu'est-ce qui s'est passé ?

— On s'est embarrés en arrêtant au dépanneur, lui répond Denis. J'ai appuyé sur le verrouilleur automatique alors que mes clés étaient toujours dans le contact, on a dû faire venir le CAA. Ça s'appelle avoir la tête pleine !

— Pourquoi vous ne répondiez pas au téléphone ?

— Oh, ma batterie est morte !

— Et le tien ? demande-t-elle à William.

— Il était resté dans le porte-verre.

Évelyne soupire.

— C'est pratique, la technologie, n'est-ce pas ?

Père et fils haussent les épaules, puis tous les quatre se mettent à sortir le matériel du véhicule pour le transporter à l'intérieur. Tel un soldat concentré sur sa mission, Denis déploie l'équipement avec des gestes calculés et précis. Il relie ensuite l'ordinateur portable à la chaîne stéréo de la salle qui jouera la musique thématique sélectionnée pour l'occasion. Aidé de son assistant, qui a le même langage corporel et prend ses responsabilités avec autant de sérieux, il vérifie à maintes reprises le bon fonctionnement de l'installation jusqu'à ce que le fébrile organisateur soit pleinement rassuré. Thomas et Ernesto suivent quant à eux les conseils de l'expert et s'entraînent avec leurs caméras pendant que

Diane fait sa ronde aux étages afin de rassembler les participants qui ne sont pas déjà présents dans la pièce adjacente.

À l'heure convenue, après avoir offert quelques indications aux résidants et répété avec eux la (ultra) simple chorégraphie, Thomas revient sur les lieux du tournage et saisit sa caméra. Il fait signe à Diane d'éteindre les néons, puis lève le pouce en regardant Denis et ses deux caméramans adjoints.

Trois… deux… un… on tourne !

Graduellement, les notes du sixième morceau de la bande sonore d'*Avatar* remplissent l'air, alors qu'une voix d'ange souffle un chant doux et mélancolique qui saisit instantanément le cœur des gens qui se trouvent dans la salle. Un par un, les aînés pénètrent dans la forêt enchantée, leurs visages et leurs bras peints habilement pour incarner les Na'vis. Leurs yeux ébahis, qui ont retrouvé l'éclat précieux de l'enfance, luisent comme des perles, contrastant avec leur peau bleutée et couverte de marques tribales.

Ils avancent lentement, fascinés par l'étonnante transformation de leur salle de réception, la plupart en marchant mais certains en fauteuil roulant et poussés par des préposés maquillés. Puis, guidés par Diane, ils remplissent peu à peu le grand espace circulaire jusqu'à le couvrir, formant une sorte de spirale humaine. Perché sur un escabeau, William reste parfaitement immobile à filmer le spectacle tandis que Thomas et Ernesto circulent parmi les créatures féeriques, capturant de près la magie dans leurs expressions. Inutile de dire que le jeune Hardy accorde un peu plus de temps de caméra à ses grands-parents qui, comme s'ils n'avaient pas compris le concept, brisent la mise en scène en lui envoyant constamment la main.

Lorsque la pièce musicale change pour celle de la cérémonie de guérison (la scène qui a tant marqué notre héros), les participants sont invités à se tenir par les bras à la manière des personnages du film. Bercés par le rythme, ils se balancent doucement de chaque côté comme une vague humaine et recréent ainsi de manière émouvante l'esprit de communion du peuple imaginaire. Tous les témoins de cet étrange et formidable moment vibrent d'émotion, surtout Diane qui ne quitte pas ses parents des yeux : elle ne peut se remémorer aucune occasion où ils ont montré autant de laisser-aller, et les quelques larmes qui coulent le long de ses joues passent inaperçues dans le feu de l'action.

Alors que le temps semble figé, donnant au spectacle un parfum d'éternité, cette partie magique de la fête prend inévitablement fin : au moment prévu, Denis baisse le volume petit à petit jusqu'au plus parfait silence. Pour épargner les yeux fatigués des résidants, les néons sont aussitôt rallumés, révélant au grand jour des visages rajeunis, aussi surpris qu'émus par ce qui vient de se produire. En fait, tout le monde reste bouche bée devant la profondeur inattendue des émotions ressenties. Instinctivement, Thomas s'écrie : « Coupez ! » un signal qui amène les gens à reprendre leurs esprits.

Il se met ensuite à taper dans ses mains ; les applaudissements se répandent aussitôt et résonnent dans toute la salle. Diane, de nouveau en mode organisationnel, invite les participants fatigués à s'asseoir aux tables alors que les plus dégourdis pourront s'amuser sur la piste de danse improvisée. Le répertoire musical passe donc à des morceaux plus classiques pour rejoindre la clientèle âgée et c'est ainsi que la fête commence.

Comme l'effet des déguisements et l'absurdité du concept sont trop marrants et que la soirée mérite d'être immortalisée dans son ensemble, les trois garçons reprennent rapidement le tournage.

— Regardez celui-là danser ! s'exclame William en pointant le doigt vers un vieillard qui se fait aller le bassin comme s'il avait vingt ans.

William s'en approche aussitôt et, en réalisant que ses mouvements sont enregistrés, l'homme redouble d'ardeur. Voulant avoir eux aussi leur instant de gloire, quelques Na'vis septuagénaires s'inspirent de leur camarade-vedette et attirent la caméra d'Ernesto : le résultat est un véritable festin pour l'objectif qui capte leurs pas de danse endiablés. Pendant ce temps, Thomas circule de table en table pour recueillir des témoignages.

— C'est tellement beau ! dit une petite dame recroquevillée qui, en s'essuyant la bouche, a enlevé involontairement une partie de son maquillage.

— Je viendrais ici tous les jours, commente une autre en admirant le décor.

Un vieillard, qui semble aussi confus qu'aveugle, demande avec un parfait sérieux :

— C'est pourquoi donc, qu'on fait ça ?

Thomas se retient pour ne pas rire.

— Pour le plaisir, monsieur, juste pour le plaisir.

L'homme lui sourit, satisfait de la réponse. Quand le garçon arrive devant ses grands-parents, ceux-ci le couvrent de compliments :

— On est tellement fiers de toi ! s'exclame sa grand-mère. Fiers comme tu ne peux même pas l'imaginer ! C'est le plus beau cadeau que tu pouvais nous faire, cette activité-là. Tu es le meilleur, mon lapin, tu le sais ça, hein? Le meilleur!

— Quand même, faut pas exagérer, mamie…

— Je te dis qu'il a de la suite dans les idées, le p'tit Thomas! ajoute son grand-père. Vraiment réussie, ta fête!

— Peut-être, mais elle est pas entièrement réussie si vous restez là à rien faire. Allez! Sur la piste de danse!

Le jeune Hardy entraîne avec lui ses plus grands fans qui, sans offrir trop de résistance, se laissent convaincre de danser. Le temps d'une douzaine de chansons, le bal se poursuit et les vieux corps que l'on aurait crus endormis à jamais se réveillent de nouveau. Est-ce simplement l'effet de la musique qui leur fait temporairement oublier leur âge? La métamorphose en Na'vis peut-être, ou bien la combinaison des deux? Pensif, Thomas dépose sa caméra pour contempler le fruit de ses efforts: toute cette beauté et cette joie, nées d'une simple idée. *Soixante-deux vieillards déguisés en Na'vis*, pense-t-il alors, *ça aurait quand même fait tout un record!*

Quand une majorité des résidants ont quitté la piste de danse et se sont assis sur les chaises qui leur ont été désignées, la musique est mise en sourdine et le repas est servi par les Langlois.

Karl, qui prend tout à coup une allure distinguée avec son uniforme de restaurant quatre étoiles, sert avec fierté les appétissantes assiettes aux invités. Ses amis le taquinent, mais il prend cela avec bonne humeur et garde sa concentration. Après le souper, les gens se serrent la main ou se font la bise en se félicitant de leurs efforts, se moquant les uns des autres alors que plusieurs visages maquillés sont à présent tout barbouillés.

Les proches de Thomas, reconnaissants d'avoir pu participer grâce à lui à une expérience aussi unique et inoubliable, se regroupent autour de lui. Ernesto, sa caméra toujours en marche, se plante à quelques pouces de son visage pour l'interview officielle.

— Comment on se sent d'avoir réussi un tel coup de maître?

— Ben... euh..., répond Thomas en prenant la voix un peu bêtasse d'un joueur de hockey professionnel. Je pense qu'on a bien fait ça... euh... en tout cas ça s'est bien passé... pis euh... (tirant du coup sa mère devant l'objectif) je pense que la madame est contente, faque... euh... c'est une victoire importante pour nous tous pis... euh... c'est ça...

— Et vous, madame Hardy, avez-vous des commentaires?

— Eh bien, moi je voudrais juste souligner à quel point je suis fière de mon fils. Il m'a beaucoup impressionnée ces derniers temps. Et puis, je l'aime beaucoup aussi… pis… euh… pis… euh…

Incapable de tenir la caméra droite tellement il rit, Ernesto la dépose un moment afin de se ressaisir et fait un signe à Karl. Ce dernier, armé d'une tarte qu'il a mise de côté à la demande du diabolique petit Mexicain, rend alors hommage à l'organisateur en la lui écrabouillant gentiment en pleine figure.

— À Thomas! s'exclame-t-il fièrement.

— À Thomas! répètent en même temps les membres de l'attroupement.

— À vous! les corrige le garçon en s'essuyant le visage. J'aurais jamais pu réussir sans l'aide de tout le monde ici!

Vers dix-huit heures, alors que la salle maintenant déserte est déjà toute nettoyée par le père d'Ernesto et ses deux employés, les Hardy décident de rentrer à la maison avec un délicieux sentiment de relâchement. Juste avant de sortir, Diane s'arrête et fouille dans sa sacoche.

— Maudite pas de tête! se reproche-t-elle. J'allais presque oublier! Claude est passé à la maison quand il est descendu en ville porter les citrouilles. Ça l'a déçu que tu ne sois pas là, mais il m'a laissé ça pour toi.

— Qu'est-ce que c'est ? demande Thomas en voyant l'enveloppe.

— Aucune idée. C'est adressé à ton nom, alors je n'ai pas regardé.

Le garçon regarde sa mère d'un air suspicieux.

— Me semble, oui.

L'enveloppe en main, il attend d'être sur la route pour vérifier son contenu. Il en retire alors une vieille photographie délavée sur laquelle son grand-oncle, plus jeune, pose devant sa citrouille record. Se trouve à ses côtés sa fille, chétive et souriante, qui dépasse à peine l'immense courge. Au dos sont écrits ces mots :

Tu as tout compris, mon cher ami...

Du fond du cœur, bravo !

Lorsqu'elle regarde dans le rétroviseur, Diane voit son fils verser des larmes en silence. Mais, connaissant mieux que quiconque son légendaire orgueil, elle fait semblant de rien.

À suivre...

Remerciements

Un gros, gros, GROS merci à la charmante Dominique qui m'a carrément ouvert la porte du monde de l'édition. Je l'ai souvent remerciée et je continuerai à le faire dans chacune de mes futures publications, et ce, jusqu'à ma mort.

Merci à mon bon ami Joseph, qui a pris la peine de me téléphoner un jour pour me dire que les trois premiers chapitres d'une histoire que j'avais écrite le faisaient CA-PO-TER! Son enthousiasme m'a motivé à poursuivre.

Merci à Michel pour son coup de tête, pour avoir cru en mon talent et pour le chèque d'un million qui m'a CLAIREMENT été promis. Mon immense yacht est déjà acheté et les paiements mensuels débutent dans un an, alors j'attends…

Merci à Érika et Marie-Eve pour m'avoir aidé à améliorer mes récits, vos contributions ont été très appréciées.

Merci à mes correctrices, Patricia, Natacha et Élaine, pour avoir augmenté visiblement la qualité du français dans mes manuscrits.

Merci à Isabelle pour ses superbes illustrations, j'ai beaucoup aimé voir mes personnages prendre vie grâce à ses coups de crayons.

Merci à Marie-Noëlle pour avoir dit oui avant le non.

Merci à tous ceux qui, de près ou de loin, ont contribué à ce premier succès (c'est-à-dire le simple fait d'être publié, que ce livre me rapporte assez pour manger ou pas).

Philippe Alexandre